Mulheres corajosas sempre vencem

CB124938

Mulheres corajosas sempre vencem

Conheça os caminhos para vencer seus medos

amando, se comunicando, cuidando do visual, trabalhando, na vida!

Arianna Huffington

Tradução
Nivaldo Montingelli Jr.

LAROUSSE

Título original: *On becoming fearless*
Edição original publicada por Little, Brown and Company,
Nova Iorque, Nova Iorque, EUA.
Todos os direitos reservados.

Copyright © 2006 by Arianna Huffington
Copyright © 2007 by Larousse do Brasil
Copyright © 2006 by Anna Quindlen, da citação da Comissão Feminina
para Crianças e Mulheres Refugiadas, publicada nas páginas 148 e 149.
Utilização de discurso autorizada por Internacional Creative Management, Inc.
imagem da autora: *Deborah Feingold*

Edição brasileira

Diretora editorial	*Soraia Luana Reis*
Editor	*Isney Savoy*
Assistente editorial	*Leila Toriyama*
Coordenação	*Valentina Nunes*
Preparadora	*Mariana Varella*
Revisores	*Agnaldo Alves de Oliveira, Caio Nehring e Cláudia Levy*
Diagramação e projeto gráfico	*Pólen Editorial*
Capa	*Sart/Dreamaker Brand & Design*
Produtor gráfico	*Fernando Borsetti*

Dados Internacionais de Catalogação na Publicação (CIP)
(Câmara Brasileira do Livro, SP, Brasil)

Huffington, Arianna Stassinopoulos, 1950
Mulheres corajosas sempre vencem/Arianna Huffington ; tradução Nivaldo Montingelli Jr. — São Paulo : Larousse do Brasil, 2007.

Título original: On becoming fearless
ISBN 978-85-7635-191-7

1. Autoconhecimento – Teoria 2. Comportamento humano 3. Coragem 4. Mulheres – Psicologia I. Título.

07-0991 CDD-305.42

Índices para catálogo sistemático:

1.Mulheres : Função e posição social : Sociologia 305.42

1ª edição brasileira: 2007
3ª reimpressão brasileira: 2010

Direitos de edição em língua portuguesa, para o Brasil, adquiridos por
Larousse do Brasil Participações Ltda.
Av. Profa. Ida Kolb, 551 - 3º andar – São Paulo – SP – CEP 02518-000
Tel.: 55 11 3855-2290 – Fax: 55 11 3855-2280
atendimento@larousse.com.br - www.larousse.com.br

Sumário

INTRODUÇÃO

Lembro-me de ter levado minhas filhas, na época com sete e cinco anos, em fevereiro de 1997, a uma apresentação de uma peça de Shakespeare, em Washington. Uma das personagens de *O mercador de Veneza* era Portia, que usa a lei para trazer ao mundo jurídico novos discernimentos. Havia ainda Beatriz em *Muito barulho por nada* e Rosalind em *Como você gosta*, personagens femininas que desestabilizam os conservadores que defendem o *status quo*.

Há mulheres destemidas em todas as formas, idades e profissões. Como disse Shakespeare: "a idade não pode fazê-la fenecer, nem o hábito prejudicar sua infinita variedade".

Eu queria levar minhas filhas àquela apresentação porque nunca é cedo demais para ensinar destemor às mulheres. Mas, hoje, quando observo minhas filhas na adolescência, fico impressionada ao ver todos os mesmos temores clássicos que um dia me atormentaram: "será que sou atraente? As pessoas gostam de mim? Devo falar para ser ouvida?".

Pergunto-me se os temores delas são mais intensos que os meus na idade delas, ou se apenas parecem mais intensos. Eu havia pensado que, com todos os ganhos trazidos pelo feminismo, minhas filhas não teriam de passar pelos temores que enfrentei. Contudo, aí está essa geração mais jovem, tão incerta, cheia de dúvidas e desesperada, tentando satisfazer expectativas alheias. O que aconteceu com nossas ousadas garotas?

Os temores das adolescentes se manifestam de muitas maneiras: depressão, perturbações na alimentação, drogas, sexo casual e confuso. As jovens, preocupadas com aparência, magreza e sexualidade, estão se perdendo na tentativa de conquistar a aprovação dos pares, dos adultos, em plena efervescente cultura pop que as cerca.

Contudo, através dos muitos estudos de casos que li, das histórias de mulheres a quem admiro e, acima de tudo, de minha experiência própria com minhas filhas, encontro repetidas vezes momentos de força, coragem e capacidade de recuperação extraordinárias, nos quais os temores são enfrentados e até superados e tudo parece possível.

Foi o desejo de alguma forma prolongar esses momentos que me levou a escrever este livro – para nossa geração, nossas mães e nossas filhas.

Minhas batalhas com o medo

Têm havido muitos momentos de medo em minha vida, mas sete deles foram críticos – ocasiões em que o medo era devastador –, momentos em que me ensinaram que era possível passar para o outro lado, o lado do destemor.

■ A primeira experiência de medo de que me lembro foi particularmente estranha. Eu tinha nove anos. Certa noite, durante o jantar, minha mãe começou a contar, para mim e minha irmã mais nova, a respeito da guerra civil grega, quando ela fugiu para as montanhas com duas garotas judias. Como membro da Cruz Vermelha grega, ela estava cuidando de soldados feridos e escondendo as garotas.

Ela descreveu a noite em que os soldados alemães chegaram à cabana em que estava e começaram a atirar, ameaçando matar todos se o grupo não entregasse os judeus, que eles suspeitavam – e com razão – estavam sendo ocultados ali. Minha mãe, que falava alemão fluentemente, ficou em pé e disse-lhes categoricamente que abaixassem as armas, porque lá não havia judeus, e ficou observando os soldados abaixarem as armas e ir embora. Como eu conseguiria seguir um padrão de destemor como esse?

■ Em 1967, um grupo de generais acabara de dar um golpe e estabelecido uma ditadura em Atenas, na Grécia, onde eu vivia. Havia toque de recolher e os soldados estavam em todas as esquinas. Eu tinha dezessete anos e estava amedrontada – dividida entre o medo que me paralisava e o desejo de ignorar o toque de recolher e ir até minha aula de Economia para realizar o sonho de ir para a Universidade de Cambridge, na Inglaterra. Ignorei o toque e caminhei até minha escola.

■ Quando finalmente entrei em Cambridge, tive um caso de amor instantâneo com a Cambridge Union, a famosa sociedade de debates da universidade. Porém, para ser eufemista, a Cambridge Union não retribuiu meu amor. Mesmo antes de começar meu caso de amor não correspondido, precisei superar a barreira de ter um forte sotaque grego. Mais importante, tive de superar o medo de críticas e do ridículo.

■ Em 1988, quando publiquei meu livro sobre o pintor espanhol Pablo Picasso, enfrentei uma batalha com as instituições de arte. Meu pecado havia sido ousar criticar Picasso como homem, apesar de reconhecer seu gênio artístico. Minha experiência com Picasso gerou dois temores: o de ser reprovada por pessoas de quem gostava e a quem respeitava e o de ser apanhada em uma controvérsia pública.

■ Meu maior medo – enfrentar a possibilidade de sofrer uma grande perda e a incapacidade de fazer qualquer coisa para impedir – me atingiu quando Isabella, minha filha mais nova, ainda não tinha um ano de idade. Uma noite, de forma inesperada, ela teve um ataque associado a febre. Eu estava sozinha com ela. Ver minha filhinha ficar preta e azul e perceber que ela não conseguia respirar colocou-me cara a cara com um medo de arrepiar.

■ Em 2003, concorri ao governo da Califórnia. Durante a campanha enfrentei o medo de ser caricaturada e mal compreendida. É claro que faz parte da natureza das campanhas políticas transformar seu oponente em uma caricatura política. Mas senti pessoalmente como é diferente – e muito mais difícil – quando se é mulher, e o quanto me senti vulnerável e exposta. Lembro-me de estar sentada no aeroporto, esperando por um voo até Sacramento, preocupada com tudo isso, quando uma jovem colocou um bilhete na minha mão e desapareceu:

Sra. Huffington,

Não quero me meter, mas quero agradecer por sua declaração durante o debate do dia 24 de setembro. Você me ajudou a descobrir por que as mulheres em particular não deveriam votar em Schwarzenegger. Embora algumas pessoas tenham reclamado que seu comportamento foi inadequado, compreendo que as mulheres bem-comportadas raramente fazem história. Obrigada por assumir a luta.

Janice Rocco

■ Minha mãe, que viveu comigo a maior parte da minha vida – passando por meu casamento, pelo nascimento de minhas filhas e meu divórcio –, morreu em 2002. Sua morte me forçou a enfrentar meu medo mais profundo: viver minha vida sem a pessoa que havia sido a minha base. Eu a perdi e tive de prosseguir sem ela. Mas a maneira como ela viveu sua vida e enfrentou sua morte muito me ensinou a respeito de vencer o medo.

Como o medo nos limita

Além dos maiores momentos de medo em nossas vidas, existem muitas outras ocasiões em que sacrificamos nossa verdade pessoal para cooperar, sermos aprovadas ou apenas para sermos "simpáticas". Isso porque, apesar de todas as nossas conquistas, ainda há uma grande pressão para que as mulheres sejam "obsequiosas", "joguem em equipe" e "não balancem o barco".

Se você permitir, os pequenos demônios da aceitação irão devorar sua alma pedaço a pedaço e dominarão sua vida. Eles alimentam o medo de ser deixada de fora, o medo de que a sobrevivência será impossível fora da tribo.

Viver com medo é a pior forma de insultar nossos verdadeiros egos. Ao ter tão pouca consideração por aquilo que somos – por nossos instintos, nossas habilidades e nosso valor – construímos uma jaula em torno de nós. Para impedir que os outros nos prendam, fazemos isso por eles. Presas por nossos próprios temores, fingimos que somos incapazes de ter aquilo que queremos e ficamos sempre à espera de que os outros nos deem permissão para começar a viver. E em pouco tempo começamos a acreditar que essa é a única maneira.

Dominar o medo

Destemor não é a ausência de medo. Na verdade, é seu domínio. A coragem, disse o filósofo e meu compatriota Sócrates, é o conhecimento daquilo que não deve ser temido. Isto é, existem coisas das quais *devemos* ter medo – afinal, queremos permanecer vivos. Nunca iremos eliminar totalmente o medo das nossas vidas, mas podemos atingir o ponto em que nossos temores não nos impedem de ousar ter pensamentos novos, tentar coisas novas, assumir riscos, fracassar, recomeçar e ser felizes.

Destemor é levantar mais uma vez quando caímos. Quanto mais à vontade estivermos com a possibilidade de cair, menos preocupados estaremos com o que as outras pessoas irão pensar se cairmos.

Lembro-me de estar, certa vez, conversando com minha filha, quando ela tinha oito anos, antes de uma apresentação na escola. Ela dizia que tinha borboletas no estômago, porque estava com medo de subir ao palco. Então eu lhe perguntei: "e se as borboletas estão aí porque você está entusiasmada para subir ao palco?". Ela pensou na ideia. Na verdade, aquilo se transformou em uma pequena brincadeira entre nós. "Mamãe, não estou com medo. Estou entusiasmada", disse ela. Quanto mais ela repetia a frase, mais acreditava nela e menos medo sentia. Como o medo é uma reação primal, optar por ir em frente apesar dele é uma decisão evoluída que transcende nossa natureza animal.

Nos capítulos seguintes, fornecerei um mapa para se chegar ao destemor em cada aspecto de nossa vida, um manifesto direto sobre como ser destemida. Como ser ousada. Como dizer o que é preciso dizer e fazer o que é preciso fazer de uma maneira que nos faça aceitar, e não temer, as reações dos outros.

Temos tanto potencial, mas hesitamos. Para que minhas filhas e as mulheres de todas as idades ocupem seu lugar merecido na sociedade, elas devem se tornar destemidas. Este livro é dedicado a elas e a essa meta.

1

Aprenda a amar o seu corpo

A perfeição da imperfeição

A RELAÇÃO MAIS ÍNTIMA e que jamais teremos com outra pessoa é com nosso próprio corpo. Ele é a sede de nossos temores e ansiedades, e também a causa de muitos deles, razão pela qual nunca poderemos perder realmente o medo até que deixemos de julgar nossa aparência e passemos a aceitá-la.

Durante milênios a beleza tem sido uma grande medida, muitas vezes a única, do valor de uma mulher. A necessidade de atrair parece profundamente arraigada em nós – parece até uma necessidade biológica. Através de diferentes culturas e eras, a beleza tem estado no centro da maneira como as mulheres têm sido tratadas. Também tem sido essencial para a sobrevivência delas, uma vez que mulheres bonitas com frequência atraem protetores fortes. Não é de admirar que a beleza tenha se tornado para nós uma preocupação dominante.

Temores a respeito dos pares

A insegurança a respeito da nossa aparência brota em sua totalidade na adolescência e hoje constitui quase um rito de passagem. Ainda me arrepio ao lembrar o quanto me sentia pouco à vontade quando adolescente. Começava pelo fato de eu ser incrivelmente alta para uma garota grega, com um metro e setenta e cinco aos treze anos, enquanto minhas colegas de classe não passavam de um e cinquenta. Lembro-me do trauma de ser excluída do desfile da escola, porque eu era alta demais. Acrescente a isso os cabelos crespos incontroláveis, acne e óculos grossos e você tem um quadro não muito bonito. Eu só ficava feliz quando estava perdida entre meus livros.

No resto do tempo eu era consumida por temores de que nunca teria um namorado, nunca seria atraente para os garotos. Eu ficava me comparando com todas as minhas belas colegas de classe baixinhas, enquanto me destacava acima delas com minha falta de jeito. Eu continuava a ter notas altas na escola, mas isso não importava, porque eu só me interessava pela minha aparência.

As boas notas eram meu bilhete de saída, mas levei muitos daqueles temores comigo para Cambridge. Comecei a sair com rapazes, mas também duvidava constantemente de mim. A maior parte da minha felicidade em Cambridge vinha não de meus relacionamentos, mas de começar a dominar a arte de falar em público, debater e enfrentar o choque de ideias. Precisei de muitos anos para me descobrir como mulher.

A crítica no espelho

Imagine se alguém inventasse um gravador que pudéssemos ligar aos nossos cérebros para registrar tudo o que falamos a nós mesmos. Iríamos descobrir que nem nossos piores inimigos falam a nosso respeito o que somos capazes de falar. A conversa interior negativa começa tão logo nos despertamos – às vezes até antes.

Mas a preocupação com nossos traseiros ou nossos rostos não é apenas individual, é quase um ditame social. Como observa Naomi Wolf no livro *O mito da beleza*, um efeito colateral da revolução feminista foi que a ênfase da sociedade mudou: de esperar que mantivéssemos "um lar perfeito como donas de casa" para esperar que mantenhamos "rosto, cabelos e corpo perfeitos como mulheres que trabalham".

E se nos desviamos momentaneamente dos pensamentos a respeito da nossa aparência, há dezenas de revistas femininas para nos colocar de volta aos trilhos. "Por que você não pode", perguntam elas de forma implícita (e às vezes explícita) "ser como as supermulheres que apresentamos – altas, magras, cuidando sem esforço da carreira e dos filhos, com aparência corajosa, impecável, devidamente esfoliada, umedecida e arrumada?".

Mas onde está essa supermulher? Posso certamente lhes dizer que ela nunca esteve na minha casa. Uma coisa que tudo isso mostra é o quanto as mulheres tiveram sucesso para interiorizar a noção de que foram postas no mundo para agradar aos homens. E todas as vezes em que ameaçamos nos livrar dessa ideia, encontramos uma maneira de adotá-la novamente.

A monotonia das comparações

Nossos temores a respeito da nossa aparência nos levam naturalmente a nos compararmos de forma infindável com outras mulheres – e elas, é claro, a se compararem da mesma maneira conosco. É um círculo vicioso de medo e dúvida: por que não podemos ser tão lindas, sexy, atléticas e jovens como as centenas de mulheres das revistas, dos cartazes e das telas de TV?

Nossa cultura é obcecada por glamour, atração, moda, estar bem informada e juventude. Assim, nossas pressões internas para que tenhamos uma aparência perfeita são constantemente reforçadas por imagens retocadas de atrizes de cinema e modelos preparadas por um séquito de estilistas, maquiadores e cirurgiões plásticos.

Se sua meta é competir com essas imagens imaculadas, você nunca irá vencer. E mesmo que não seja essa a sua meta, isso não significa que você é imune ao ruído cultural à sua volta. Uma mulher vê em média de quatrocentos a seiscentos anúncios por dia e, aos dezessete anos, terá sido exposta a cerca de 250 mil mensagens comerciais.

O mundo exterior nos bombardeia com essas incessantes mensagens e imagens; ele não irá parar e não podemos controlá-lo. Mas o que podemos fazer é exercer algum controle internamente. Podemos encontrar a força e o destemor para nos recusarmos a ser puxadas para essa infinidade de comparações.

Um preço muito alto

Com tantas pressões internas e externas para serem belas, não é de admirar que as mulheres façam esforços absurdos para atingir a meta da perfeição. O medo de não estar à altura conduz a uma conformidade sufocante quando tentamos nos espremer para caber no molde.

Mas a conformidade não é o único custo da nossa obsessão com nossos corpos. Também há preços psicológicos e financeiros, para não mencionar o ônus sobre a saúde física.

Mais da metade das mulheres ocidentais fizeram dieta em determinada época de suas vidas. É provável que isso aconteça porque os três quartos de mulheres que têm peso normal se consideram gordas. E há o custo financeiro: gastamos muito dinheiro em livros sobre dietas, alimentos dietéticos, programas e acessórios de dietas.

Pior ainda, quantidades inquietantes de mulheres – mais do que nunca – estão se matando de fome, com crescente registros de casos de bulimia e anorexia. Essa tendência leva o medo da gordura a um extremo fatal.

Se não podem chegar à beleza passando fome, muitas mulheres recorrem a custosas intervenções médicas com procedimentos de cirurgia cosmética – inclusive lipoaspiração, correções de narizes, implantes nos seios, cirurgias em pálpebras e em barrigas. Sem falar nos procedimentos menores, como as injeções de Botox (toxina botulínica).

Uma realidade cruel é que as mulheres estão se submetendo a essas operações cada vez mais jovens. Milhares de adolescentes estão fazendo implantes de seios, chegando a fazer empréstimos para isso. Nos Estados Unidos – e no Brasil também – é comum que pais da classe alta deem às filhas cirurgias de implante de seios como presente de formatura do ensino médio. É explicitamente reconhecido por pais e filhas que as jovens conseguem mais namorados e são mais populares na faculdade se têm seios maiores. Como disse uma estudante: “entre as famílias mais ricas, os rapazes ganham carros esportivos pela formatura e as garotas ganham seios grandes”.

E se mudar nossos corpos não basta, estamos recorrendo, segundo registros crescentes, em números cada vez maiores a mudanças em nossos cérebros, com drogas que alteram o humor como medicamentos para dormir e combater o estresse e a depressão. É claro que há muitas razões legítimas para tomar esses medicamentos, mas alguém duvida que parte da razão para sua popularidade é que as mulheres precisam de um meio para desligar e ter algum alívio em relação a seus constantes temores e ansiedades?

Como perder o medo em relação à nossa aparência

O primeiro passo para perder o medo em relação à nossa aparência física é saber que nossos temores de inadequação são criados e comercializados em massa. As mensagens de perfeição geradoras de medo em relação às quais nós nos medimos não provêm de Moisés do alto da montanha, mas das indústrias multibilionárias de cosméticos e moda, cujos lucros estão diretamente ligados aos nossos níveis de insegurança.

Os profissionais de marketing sabem que, quando se unem com a multibilionária indústria do entretenimento, eles podem não só nos vender fantasias, mas também os produtos que pensamos que irão nos ajudar a realizá-las.

Mas essa é apenas metade da história. Afinal, somos aquelas que perpetuam o jogo das comparações. A compulsão para comparar, para ver como estamos nos saindo em relação às outras, faz parte da condição humana. Mas podemos ampliar nossa perspectiva para diluir o poder de nossas comparações estreitas e autodestrutivas.

Sei que isso é difícil, mas se não pudermos deixar completamente de jogar o jogo das comparações, podemos pelo menos começar a mudar em relação a quem nos comparamos. Em vez de nos compararmos com a atriz Angelina Jolie, que tal fazê-lo com uma vítima do furacão Katrina, com uma mulher que perdeu as pernas lutando no Iraque ou com uma mulher com diagnóstico de câncer no seio? Elas também estão no mundo. Quando fazemos isso, exploramos nossas reservas de empatia e gratidão, em vez de nossos infindáveis autojulgamentos, nossos temores e ciúmes.

Foi somente quando passei a observar as vozes críticas dentro de mim, em vez de ceder a elas, que comecei a assumir o controle. Em vez de ser exaurida por minhas ideias negativas, passei a me divertir com a maneira pela qual nos comportamos como crianças desobedientes. Temos opções a respeito do que fazer com as mensagens que ouvimos. Podemos não conseguir desligá-las totalmente, mas não precisamos permitir que elas dirijam o espetáculo.

Por exemplo, se a voz está dizendo uma coisa específica, como "quero perder peso", "preciso fazer mais exercícios" ou "seria divertido fazer uns reflexos nos cabelos", vá em frente e faça isso. Mas se está apenas nos aborrecendo e esgotando com coisas sem importância, temos a responsabilidade de abaixar seu volume. Se permitirmos que essas vozes esgotem nossas energias, elas o farão. Como a comparação é um jogo que ninguém vence, por que jogá-lo?

Direcionar nossas energias para um projeto criativo pode acabar com nossas obsessões em relação a nós mesmas. A atriz Rosanna Arquette confessou sua preocupação em ficar com um "pescoço de galinha" quando chegasse aos quarenta anos. Mas a obsessão por uma aparência perfeita – ainda mais intensa na sua profissão – não mais a consumiu depois que ela se juntou a outras pessoas e produziu um filme, a respeito do equilíbrio entre a maternidade e a arte. "O filme me fez permanecer positiva", contou ela, "me conectar com outras mulheres, minha tribo. Precisamos eliminar a competição porque estamos todas no mesmo caminho do destemor, para sermos realmente quem somos, e este é nosso direito de nascença! Está na hora de nos apoiarmos e amarmos umas às outras naquilo que queremos fazer na vida, para que possamos nos olhar e saber que estamos seguras. Vamos celebrar as individualidades, as bênçãos – e a celulite".

A autoconfiança é o melhor estimulante

Tenho muitas amigas com cinquenta anos que têm hoje melhor aparência do que tinham aos quarenta. Sim, elas se cuidam, mas a maior mudança é interior. Se o poder, de acordo com o ex-secretário americano Henry Kissinger, é o afrodisíaco supremo para os homens, a confiança é um grande afrodisíaco para as mulheres. Os franceses têm até uma expressão para isso: *jolie laide*. As mulheres descritas como *jolies laides* não possuem uma beleza clássica, mas irradiam uma espécie de magnetismo que vai além dos seus traços específicos.

A expressão se traduz literalmente como "feia bonita", mas poderia ser mais caridosamente traduzida como 'estranhamente bela'. *Jolie laide* representa uma ideia de beleza na qual uma pequena imperfeição realça a aparência de uma mulher e a torna mais interessante de olhar... No fim ela é mais sedutora e cativante do que alguém com uma beleza convencional.

Pense na atriz Sarah Jéssica Parker como Carrie Bradshaw, da série de televisão *Sex and the city*. Quem se importa com a ausência de um nariz bonito nela quando tem a inteligência rápida da personagem, suas escolhas estranhas em termos de moda e toda a sua amabilidade? Ou olhe para a grandona Queen Latifah, atriz e rapper, cujas amplas curvas, sorriso, confiança cativante e magnetismo pessoal fazem parte da sua presença notável.

Em uma pesquisa de 2005 da revista *Allure* sobre atitudes a respeito da beleza, homens e mulheres classificaram a apresentadora Oprah Winfrey, e as atrizes Sophia Loren e Meryl Streep entre as celebridades mais belas. Além disso, dois terços dos homens pesquisados disseram preferir que suas mulheres não fizessem cirurgia plástica.

Apesar de se tratar de um trabalho ainda em andamento, publiquei partes dele em meu *blog* no site *Huffington Post* (revista virtual interativa que ajudei a criar) e pedi aos leitores comentários e histórias pessoais. Recebi muitas boas respostas. Uma delas veio de Larry Sankey: "acho que as mulheres que são chamadas de *jolie laide* são simplesmente aquelas que não se preocupam demais com sua aparência. Até mesmo mulheres fisicamente belas que se preocupam demais com sua aparência acabam se mostrando inseguras e, portanto, algo sem atrativos".

Hollywood não recebeu a mensagem. Tive uma ilustração disso na entrega do Oscar de 2006. Havia muito o que admirar, mas não pude tirar os olhos do espetáculo de Hugh Hefner e das três louras pneumaticamente bem dotadas que estavam com ele. Sei que tudo isso faz parte do seu estilo, mas falando sério, o sujeito já está exagerando. Você se pergunta se com todo aquele Viagra correndo nas veias, ele ainda tem sangue suficiente circulando acima da cintura...

Mas as mulheres estavam mais horrorosas. Em algum lugar do passado elas devem ter sido adoráveis. E provavelmente ainda seriam – mas nunca iremos saber. Esse nível de construção e demolição nunca pode ser desfeito. Infelizmente, não existe cirurgia plástica reversa – só existe... mais cirurgia plástica.

Sei que falam muito a respeito de como a América não pode fabricar mais nada, mas parece que há um suprimento infinito dessas mulheres artificialmente fabricadas.

A única coisa que me afastou do espetáculo de Hefner foi a aparição na festa de uma exceção em Hollywood: uma bela mulher com mais de trinta anos que não fizera nenhuma plástica! Não sei como ela passou pelos seguranças, mas lá estava ela. Era Connie Nielsen, a atriz dinamarquesa que estrelou o filme *Gladiador*. Ela estava numa mesa próxima à dos "robôs" de Hefner. Enquanto conversava com ela, era impossível deixar de notar o contraste. Ela tem quarenta anos e ainda mantém o próprio rosto. Connie é apaixonada, confiante e orgulhosamente ela mesma. Espero que este seja o início do renascimento das mulheres com alma e sem *lifts*.

O verdadeiro segredo da beleza

No fim das contas, o maior segredo de beleza é viver nossas paixões e nos conectarmos com nosso próprio espírito.

A Campanha da empresa Dove, em 2004, publicou um "Relatório de Verdadeira Beleza", uma extensa pesquisa de mulheres com várias idades e nacionalidades, em que se constatou que "as mulheres sentem-se belas quando estão empenhadas em atividades com significado. Mais da metade das mulheres diz que elas se sentem belas quando ajudam outras pessoas (54%); quando passam tempo com os filhos (53%); conseguem sucesso (46%); são fisicamente ativas (46%); fazem algum trabalho artístico (39%); têm um hobby (39%); ou dançam (35%). Surpreendentemente, as atividades ligadas à beleza, como comprar produtos de beleza (21%) e ler revistas de moda (17%) têm menor probabilidade de fazer com que as mulheres sintam-se belas.

O relatório prossegue: "a espiritualidade também desempenha um papel vital em ajudar as mulheres a se sentirem belas. Setenta e cinco por cento delas concordam que a beleza provém do espírito e do amor pela vida e não da sua aparência. Além disso, 42% disseram que uma das ocasiões em que se sentem mais belas é quando comparecem a uma cerimônia religiosa". E a pesquisa não tratava de quando as mulheres sentiam-se bem, mas de quando se sentiam de fato belas.

Seja boa para seu corpo

Encontrar sua beleza interior não significa ignorar seu "eu" físico. Lembro-me de quando iniciei minha jornada espiritual na década de 1970, e engordei cerca de 16 quilos. Minha desculpa era: "quem se importa com minha aparência? Estou me conectando com Deus e meu espírito, certo?". Certo. Mas aprendi que não se trata de uma coisa ou outra, de uma divisão corpo/espírito. À medida que comecei a integrar as diferentes partes de mim, ficou claro que cuidar do templo em que reside a alma é uma prioridade legítima. E é inegável o quanto você se sente diferente quando faz todas as coisas óbvias, como alimentar-se bem, fazer exercícios e dormir o suficiente.

Pare de guerrear contra os alimentos

Crescendo na Grécia, comíamos muitas frutas e verduras frescas, muito peixe e uma quantidade aparentemente infindável de azeite de oliva. Uma dieta saudável. Mas ainda mais saudável era a atitude em relação aos alimentos – muito diferente da atitude adotada nos Estados Unidos, onde as mulheres acabaram vendo os alimentos como inimigos. Nós nos matamos de fome, negamos a nós mesmas carboidratos, livramos nossos sistemas de toda gordura e, então, quando achamos que "merecemos", depois de semanas de negação, damos um giro de 180 graus e nos empanturramos de comida. Toda mulher que conheço já tentou uma dieta dura e severa – e depois se rebelou contra ela.

Falo por experiência própria, pois tentei todas elas. A dieta de Beverly Hills, a do arroz integral, a da grapefruit, a dieta da sopa de repolho, a dieta sem carboidratos, sem gordura, na verdade, sem calorias. Não, não estou exagerando. Quando vivia em Londres no final dos anos 1970, cheguei a tentar a dieta da água – em parte porque estava cansada de viver de queijo cheddar e biscoitos, em parte para perder alguns quilos e em parte porque fazer meu corpo passar fome parecia um bom atalho para tocar o espírito.

Felizmente me dei conta em tempo de que tratar a realidade física como uma ilusão dispensável não era menos enganoso que considerar a realidade espiritual uma alucinação. De qualquer maneira, quando terminei meu jejum eu sabia dizer, de olhos fechados, qual a diferença entre as várias marcas de água que bebia.

Mireille Guiliano acerta na mosca no livro *Mulheres francesas não engordam*: "as mulheres francesas simplesmente não sofrem o terror de quilos que aflige tantas americanas. Todas as conversas que ouço em coquetéis na América deixaria arrepiada qualquer mulher francesa. Na França não falamos a respeito de 'dietas', certamente não com estranhos... Passamos a maior parte do nosso tempo social falando a respeito daquilo de que gostamos: sentimentos, família, hobbies, filosofia, política, cultura e, sim, comida, especialmente (mas nunca falamos de dietas)".

Um conselho final: nunca se levante da mesa sentindo-se farta ou culpada, mas também nunca se levante sem sentir-se satisfeita. Dietas diferentes acionam os hormônios de saciedade no cérebro de maneira diversa, razão pela qual nenhuma dieta funciona da mesma forma para todas.

Faça exercícios

Quando fiz quarenta anos – também foi quando tive minha segunda filha –, precisei tomar algumas decisões importantes em relação a meu corpo. Meus desejos foram em uma direção, mas meus genes gregos estavam me conduzindo a uma direção completamente diferente. E essa segunda direção estava clara na forma da minha maravilhosa mãe grega, que, na época, estava fazendo uma graciosa transição de vestidos para batas havaianas. Ela não estava interessada em combater o tempo e a natureza.

Mas a filha dela estava. Meu maior desafio era encontrar formas de exercício que pudesse praticar habitualmente. Foi assim que aprendi a caminhar com amigas. E eu não só gostava de caminhar, mas em pouco tempo o exercício tornou-se uma paixão. Três ou quatro vezes por semana, em vez de ir almoçar, minhas amigas e eu caminhávamos. Observamos uma regra severa: tudo aquilo que é dito na caminhada fica dentro dela – ou "no cofre", como nós dizíamos. A outra regra é que a amiga – ou amigas em melhor forma – fala na subida e as outras na descida. Fizemos recentemente uma caminhada de aniversário para uma amiga, levando sacolas cheias de comida saudável. Chegamos a um parque e colocamos uma toalha sobre uma mesa de piquenique, abrimos garrafinhas individuais de champanhe, brindamos à aniversariante e fizemos uma festa com queijo, verduras e frutas – e também com um pouco de chocolate.

Você pode gostar de correr, nadar, andar de bicicleta ou jogar tênis, mas se não é uma pessoa naturalmente atlética – e eu não sou – você precisa tornar o exercício divertido, caso contrário, ele nunca passará a fazer parte da sua vida. Juntamente com as caminhadas, a ioga tornou-se outra forma de exercício de que passei a gostar. Melhor ainda, é uma paixão que posso dividir com Isabella, minha filha mais nova. Com a ioga me tornei mais forte e flexível, mais consciente do meu corpo e – um grande bônus – mais próxima da minha filha.

Acima de tudo, a ioga me ensinou o poder da respiração, a observá-la, torná-la mais lenta, controlá-la (juntamente com minhas reações de estresse). Pode ser difícil ignorar as distrações, como requer a ioga. Nosso professor nunca se cansa de repetir que "podemos sobreviver semanas sem comida, dias sem água, mas apenas minutos sem respirar".

Precisamos respirar não apenas para viver, mas também para nos sentirmos bem. A respiração consciente nos ajuda a achar força e energia para viver com destemor. "O primeiro passo para melhorar sua respiração", diz Scott, "é conscientizar-se dela. Constantemente". A maneira pela qual respiramos envia mensagens para nosso corpo. Estamos relaxadas? Amedrontadas? Tensas? Nervosas? Inseguras?

A ioga e a respiração consciente nos colocam mais em contato com aquilo que nossos corpos têm de nos contar a respeito de nossos estados físico e mental. Há uma inevitável conexão de mente e corpo como fonte de criatividade. Quanto mais sintonizadas estamos espiritualmente, quanto mais conectadas, mais isso é revelado em nossos corpos. É tão simples que é fácil de errar: quando nos sentimos fortes, quando nossos corpos estão saudáveis, não nos sentimos tão vulneráveis como quando estamos fracas e fora de forma. É mais difícil não sentir medo quando perdemos o fôlego para subir um lance de escada. É espantoso como consigo enfrentar alguma coisa desafiadora depois de uma boa aula de ioga ou uma caminhada. Minha mente está desperta, meu corpo está mais flexível e estou pronta para tudo.

Dormir, talvez sonhar

Guardei para o fim aquele que é possivelmente o passo mais importante: durma bastante. Em minha experiência pessoal, não há dúvida de que é muito mais difícil ser destemido quando se dorme mal. Eu fico mal-humorada, mais reativa, ansiosa e instável, física e emocionalmente. Por essa razão, procuro dormir de sete a oito horas por dia com a maior frequência possível. E a diferença é surpreendente. Sou muito mais produtiva e feliz do que quando durmo algumas horas a menos no dia.

Não estou sugerindo que você abrevie uma noitada divertida ou saia cedo de uma recepção de casamento porque precisa dormir suas oito horas. Lembre-se apenas de manter os olhos abertos para os benefícios de dormir o suficiente. Um dos benefícios para mim é precisar de menos comida. Nada nos faz comer mais que a fadiga – em especial quando precisamos continuar despertos. E depois de comer alguns biscoitos e nos sentirmos inchados, voltamos a nos sentir cansados em cerca de vinte minutos.

Ame a si mesma exatamente como você é

Em última análise, o verdadeiro destemor provém de você amar o corpo com que nasceu, o qual é inseparável da sua individualidade.

Miranda Spencer, escritora e editora com quase cinquenta anos, contou-me: "estou plenamente consciente das imperfeições do meu corpo, mas tenho uma estranha afeição por elas. Minhas coxas são enormes, mas são minhas coxas enormes. Meu nariz é um pouco comprido, mas posso ver a história da minha família neste rosto e isso me faz sentir mais próxima dos meus pais e avós. Este é meu grande nariz. Gostaria de poder mudar minha aparência fazendo exercícios ou perdendo cinco quilos, mas não iria sobrecarregá-lo. Gosto de me reconhecer no espelho. Gostaria de me ver melhorada, mas não outra pessoa".

Cada uma de nós chega à sua versão de aceitação a respeito do seu corpo e sua aparência. Mas quanto antes compreendermos que nossa felicidade e o significado da nossa vida não são subprodutos de nossa aparência, mais cedo poderemos conquistar o destemor.

2

Sem medo de amar

Conhecer e ser conhecida

NÃO É SEGREDO que os temores das mulheres e dos homens são bem diferentes quando o assunto é o amor. Tendemos a desejar um relacionamento da mesma maneira que ansiamos por comida e água. Achamos que não podemos viver sem outra pessoa – não nos sentimos seguras nem completas, não sentimos que estamos cumprindo nossa missão na Terra. Esse é nosso instinto de sobrevivência manifestando-se.

Mas isso não é real – ou pelo menos não é o que parece ser. Esse comportamento de sobrevivência pode ser acionado pelo medo que temos de perder qualquer coisa que nos parece parte da nossa identidade: a aprovação de nossos pais, nossa aparência, uma lembrança querida e, é claro, um relacionamento.

Medo de ficar só

O medo de ficar só é subjacente a todos os outros temores ligados ao amor. É o supermedo.

Quando nos sentimos incompletas, imaginamos que a melhor maneira de resolver isso, ao menos temporariamente, é através de um relacionamento. E assim fazemos de tudo para que ele funcione ou pareça funcionar. Isso nos leva a uma porção de comportamentos distorcidos.

Uma mulher que conheço se divorciou porque não podia tolerar os múltiplos casos do marido. Pouco depois da separação, ela começou a sair com um colega que havia sido seu confidente a respeito de seu marido mulherengo. Embora todas as amigas a tivessem aconselhado a ir mais devagar, ela mergulhou de cabeça no novo relacionamento. Ela não podia ficar sozinha, disse. Porém, em pouco tempo, o colega, agora namorado, começou a dar desculpas para não comparecer a certos eventos. A verdade era que o tempo todo ele esteve vivendo com outra mulher. A maioria das mulheres teria achado que deixá-lo era a única coisa racional a fazer, mas ela, por medo, continuou a vê-lo! Quando lhe perguntavam por quê, ela simplesmente respondia: "bem, é melhor do que ficar só".

Em seu livro *Mulheres que amam demais*, Robin Norwood escreve que algumas mulheres pensam que "estar enamorada significa sofrer". Sentindo-se inadequadas e ansiando pelo amor que não tiveram quando crianças, elas são atraídas para relacionamentos anormais que refletem as frustrações do seu passado e sentem-se compelidas a fazer com que deem certo, contra todas as probabilidades ou o bom senso – por mais que sofram.

Essa dinâmica pode, com facilidade, conduzir a relacionamentos fisicamente abusivos. Olhamos para esses relacionamentos – em especial aqueles em que o abuso é repetido – e nos perguntamos por que a mulher não sai deles. Mas se você entender o profundo temor que as mulheres têm de ficar só, o mistério deixa de existir.

Em alguns casos, esse medo é de ordem prática, como me disse Cheryl Saban, filantropa e ativista dos direitos da criança: "eu estava em um casamento abusivo e queria sair dele. Mas tinha medo de não ser capaz de sustentar minhas duas filhas pequenas. Eu queria me separar, mas permaneci no relacionamento anos além do que deveria ter permanecido. Eu me sentia só, sentia que me havia vendido – sentia-me uma perdedora".

Quando eu estava escrevendo a biografia de Picasso, conheci muitas mulheres belas e talentosas que permaneceram com aquele grande artista anos a mais do que deveriam. Na verdade, Picasso costumava se vangloriar de que gostava de pegar deusas e transformá-las em capachos. E ele vivia de acordo com sua vaidade e arrogância. Duas das mulheres mais importantes de sua vida suicidaram-se; duas outras se foram abaladas por colapsos nervosos. Françoise Gilot, a única que escapou, conseguiu reconstruir sua vida e amar outros homens, inclusive Jonas Salk, com quem se casou. Eu a conheci quando me mudei para Nova York e com ela aprendi muito a respeito do destemor em relacionamentos.

No trigésimo aniversário de Françoise, em novembro de 1951, o presente de Picasso para ela foi informá-la de que "qualquer garota de dezoito anos é mais bonita do que você". (Feliz aniversário!). O que Françoise me descreveu era um processo claro envolvendo uma mulher que fez concessões para manter um relacionamento que já não era mais sadio.

Ela aprendeu gradualmente a desligar uma parte de si mesma, de forma que aquilo que Picasso dissesse ou fizesse não a ferisse mais. "Sofria de incapacitação", disse-me ela, "mas inicialmente nem percebi. Eu havia tentado administrar a dor da traição que sentia e, nesse processo, acabei amputando uma parte de mim mesma e de nosso próprio relacionamento". Ela havia passado a dar mais valor à dignidade e ao autocontrole. Essas características podem ser de grande utilidade, mas também podem ser usadas como desculpa para a negação de si mesma. No caso de Françoise, significaram não dizer nada a respeito de sua dor e não expressar nenhuma de suas necessidades.

"Você não fala mais comigo", reclamou Picasso certa vez, "tornou-se sarcástica, um pouco amarga, distante e fria. Gostaria, por mais uma vez, de vê-la botar tudo o que sente para fora, rir, chorar – jogar meu jogo". Mas ela não o fez. Em vez disso, fechou-se em si mesma e tornou-se cada vez mais distante.

E, como sempre acontece, as coisas não permaneceram ruins. Elas pioraram. Quando Picasso lhe disse que queria deixar o sul da França e passar algum tempo sozinho em Paris, Françoise, deixando de lado o orgulho, pediu-lhe repetidamente que a levasse com ele. Ele recusou-se, e, pela primeira vez, ela avisou que quanto mais tempo eles passassem separados, maior seria a probabilidade de ela deixá-lo. Ele riu da ideia: "ninguém deixa um homem como eu. Além disso, pessoas que ameaçam fazer coisas assim nunca fazem".

E assim ele se foi para Paris. Apesar de todas as defesas, das paredes que havia construído para si e de toda a auto-renúncia, Françoise ficou abalada. "De repente", disse ela, "eu me vi do outro lado da 'montanha mágica' que meu profundo amor por ele havia criado. No início do nosso relacionamento, ele falava com frequência a respeito de escalarmos juntos nossa 'montanha mágica'. E mesmo depois de todas as desilusões e da dor do último ano, ainda restava algo dela. Agora eu estava do outro lado da montanha e, durante as semanas em que Pablo esteve em Paris, descobri que não sentia mais amor. A 'montanha mágica' havia desaparecido".

Mas apesar de Picasso continuar a maltratá-la, dando-lhe mais e mais razões para partir, ela ainda tinha muito medo de concretizar o rompimento final e enfrentar não apenas a ira dele, mas também a de um mundo horrorizado, que, supunha ela, iria culpá-la pelo rompimento. Ela tinha razão. Por finalmente ter feito aquilo que muitas outras mulheres antes dela não conseguiram fazer, Françoise foi acusada de egoísta, perversa e, pior de tudo, de não ter compreendido o gênio do nosso tempo o suficiente para se ajoelhar diante dele.

Quer você esteja com um gênio ou um homem comum, é preciso coragem para deixá-lo. Às vezes você só precisa adoecer e se cansar de ficar doente e estar disposta a enfrentar um futuro incerto, em vez de permanecer em um presente doloroso. Foi o que Françoise fez – e sua história é uma forte inspiração para outras mulheres.

A necessidade de agradar

Um dos maiores temores das mulheres é a desaprovação por parte dos homens de suas vidas. E muitas vezes o preço que elas estão dispostas a pagar para evitar isso inclui serem desleais consigo mesmas.

Falo por experiência própria. Por muito tempo, esse foi meu maior medo, começando com meu primeiro relacionamento realmente importante.

Eu tinha vinte e um anos quando conheci Bernard Levin em um painel para um programa do tipo "Qual é a Música", na televisão britânica. Ele tinha quarenta e dois anos. Eu estava lá como uma curiosidade – uma jovem com sotaque estrangeiro, eleita presidente da Cambridge Union.

Ele era conhecido como colunista do jornal *London Times*, um intelectual com larga bagagem musical, enciclopédica, sabia de muitas outras coisas, menos de mim. Ele nada sabia a meu respeito, mas eu sabia muito a respeito dele. Eu sentia uma forte atração intelectual por ele, desde que descobrira seus escritos quando estava em Cambridge.

Havia devorado seus textos e colecionava meticulosamente suas colunas, sublinhado e guardado todas numa pasta (não, não pus flores prensadas na pasta, mas poderia ter feito isso). Assim, quando soube que ele faria parte do painel, fui reduzida a um pacote inarticulado de temores.

No final da gravação, ele me convidou para jantar na semana seguinte. Tudo de que me lembro é que passei a semana em um estado de alta ansiedade, preparando-me e me atualizando a respeito da Irlanda do Norte, dos acontecimentos recentes na União Soviética e das últimas gravações de Wagner. Durante o jantar eu estava com tanto medo que apenas rearranjei a comida no prato. Devo tê-lo entediado mortalmente, porque ele se encarregou para que o nosso segundo encontro não envolvesse muita conversa.

Naquela semana iniciamos um relacionamento que iria durar até o final de 1980, quando deixei Londres para me mudar para Nova York. Em muitos aspectos, Bernard foi a razão de eu ter deixado Londres. Eu estava com trinta anos e profundamente apaixonada por ele, mas queria ter filhos. Ele, por seu lado, nunca quis tê-los nem se casar.

O que era tocante a seu respeito era que ele via aquela rejeição não como uma marca de independência e liberdade, mas como uma falha de caráter, um subproduto dos seus temores mais profundos. Ele chegou a escrever a esse respeito. E o temor que descreve não está limitado aos homens: "que medo de revelar, de ser vulnerável, de ser humano, nos prende de forma assim tão cruel e, acima de tudo, por quê? O que, na escuridão da psique, grita seu silencioso 'não' ao anseio pelo 'sim'?". Para ele, esse "não" muitas vezes coincidia com um recuo para dentro da depressão – a qual descrevia como "aquele covil escuro onde o desejo de solidão da alma doente se transforma em misantropia".

Não é de admirar que ele gostasse tanto de gatos. "Acima de tudo", escreveu ele, "gosto do distanciamento dos gatos, da sua disposição para serem amados, mas não corresponder além de um ponto claramente definido; nenhum gato jamais deu todo o seu coração a um ser humano".

Desde então tenho falado com dezenas de mulheres apanhadas por relacionamentos como o meu, nos quais o homem não é capaz ou não está disposto a se igualar ao nosso anseio por uma intimidade mais profunda. E por mais necessário que seja, é incrivelmente difícil e doloroso nos soltarmos. Em vez disso, continuamos tentando tornar as coisas melhores – isto é, tentamos nos tornar melhores. Eu sei o quanto me esforcei para conquistar a aprovação de Bernard, porque em algum nível eu temia haver falhado – e que se não fosse pelas minhas deficiências, passaríamos nossas vidas juntos. Racionalmente eu sabia que os problemas com intimidade e compromisso eram dele e pouco ou nada tinham a ver comigo, mas irracionalmente temia que eu não fosse suficiente boa para ele. E em consequência disso permaneci com ele até muito tempo depois de ter ficado claro que eu não estava mais sendo leal a mim mesma.

Na verdade, ainda me surpreendo com as reservas de destemor às quais recorri para ser capaz de deixá-lo. E não só deixá-lo – o primeiro grande amor de minha vida, um mentor como escritor e um modelo como pensador –, mas também deixar Londres e mudar de continente. Mas eu tinha de fazê-lo. Nossas vidas em Londres estavam tão entrelaçadas que eu não poderia mais viver lá. Um quarto de século depois, ainda sinto como aquela decisão foi dolorosa.

Minha biografia de Maria Callas, publicada em 1980 – o ano em que o deixei –, é dedicada a Bernard: "sem seu apoio e sua compreensão incessantes", escrevi nos agradecimentos, "e sem as muitas horas que passou lendo, criticando e aperfeiçoando, às vezes eu me perguntava se haveria um livro".

Medo da rejeição

A cantora lírica Maria Callas é um exemplo clássico de mulher que deu a vida a um homem e não o deixou. Ela tinha a capacidade de tocar milhares de pessoas com sua música, mas decidiu dedicar sua vida a não perder Aristóteles Onassis. Aquilo que começou como um caso de amor mútuo transformou-se em algo prejudicial e unilateral. Ela acabou sacrificando a si mesma e aos seus dotes por medo de ser deixada por aquele homem.

Se havia um tema comum à maior parte das óperas nas quais Callas tornou-se famosa, era esse: amor perdido, amor traído, amor abandonado. Ela provou fama, sucesso e riqueza – mas tudo que realmente importava para ela era ser amada por Onassis. O abandono de fato aconteceria na história da vida dela, porque ele a deixou por Jackie Kennedy – e Callas morreu com o coração partido.

A adulação do público de todo o mundo não bastava – era como se somente Onassis pudesse aprová-la. E na sua implacável busca de aprovação, Callas se permitiu ser tratada como um capacho. Uma vez iniciada essa espiral, o fim era óbvio. Se não tivesse sido Jackie, teria sido qualquer outra. "Você é apenas uma laringe", teria dito Onassis a Maria – e ela aceitou. Por quê? O que leva as mulheres a agirem dessa maneira?

Com que frequência nós, mulheres, movemos rios e montanhas para conseguir um homem que nos ame, aceite, respeite e goste de nós – será isso tudo somente para nos sentirmos bem conosco? Mulheres inteligentes, espertas, talentosas e esforçadas se deixam perder na busca pela aprovação de um homem. Elas aceitam seus casos, seus caprichos, sua indiferença, seu distanciamento, seu desprezo.

Quando nos tornamos frágeis, abrimos mão de nossa força, coragem, sabedoria, para nos submetermos e nos envolvermos apenas porque temos medo de ficar sós, ou de não estarmos com aquele "ser" idealizado? De que temos medo? O que poderá nos acontecer se, que Deus nos livre!, deixarmos de tentar agradar a um homem? Tememos ser rejeitadas.

Todo esse medo nos afeta até mesmo quando nossos relacionamentos estão saudáveis e satisfatórios. Tememos que em algum ponto, mesmo que tenhamos conseguido agradar, seremos consideradas inadequadas. O homem irá descobrir que simplesmente não somos boas, bonitas, *sexys* ou jovens o suficiente e seremos jogadas no lixo, trocadas por um modelo mais jovem e desejável. Isso pode ou não acontecer, ninguém sabe, mas o que importa é nos questionarmos sobre o tempo que perdemos pensando na possibilidade disso acontecer. Você já se deu conta de que se preocupar com alguma coisa não impede que ela aconteça? E que na verdade nós nos preocupamos com muitas coisas que nunca acontecem? Como observou o pensador Montaigne, ironicamente, "houve muitos infortúnios terríveis na minha vida, mas a maior parte deles nunca aconteceu".

Infelizmente, nosso medo de sermos inadequadas não diminui com a experiência acumulada. Ao contrário, à medida que envelhecemos, nós nos preocupamos porque, com rugas e com a cintura mais larga, já não conseguiremos manter nossos parceiros.

O medo da rejeição se manifesta não apenas no anseio de agradar, mas também no falso cinismo que maldiz os relacionamentos. Esse cinismo nada mais é do que um disfarce para o medo original que temos de ser feridas e rejeitadas. Quer estejamos ou não em um relacionamento, de uma maneira ou de outra nosso medo de ficar só pode nos impedir de receber amor.

Os custos

A revolução feminista nos permitiu vencer muitas batalhas no mercado de trabalho, mas quando se trata de relacionamentos, voltamos aos velhos tempos em que conspirávamos para atrair um homem e logo em seguida sublimar nossas próprias necessidades para mantê-lo feliz. Aqui estamos nós no século XXI, seguindo as mesmas regras para que possamos capturar aquele sujeito que irá cuidar de nós em um paraíso doméstico ao estilo dos anos

1950, no qual a felicidade está logo ali e o desastre, a uma discussão de distância.

"A revolução feminista", escreveu Maureen Dowd na revista *New York Times Magazine*, "teve a consequência inesperada de intensificar a confusão entre os sexos, deixando as mulheres perdidas entre a dependência e a independência assim que entraram no século XXI".

Nossa confusão suprema é acreditar que, uma vez que a salvação da espécie humana se dá por meio do amor, nossos companheiros são nossos salvadores. O medo de perder o que temos pode se tornar tão grande que muitas de nós voltam a se esconder sob o abrigo temporário das convenções, em vez de seguir o caminho do autodescobrimento, seja lá aonde ele possa conduzir. Com tempo adequado e medo suficiente, podemos nos esconder por tanto tempo que dificilmente percebemos que estamos sufocando lentamente.

Se o medo de ficarmos sós ou abandonadas nos faz perseguir ou agarrar um relacionamento de forma tão febril, então estamos agindo para nos proteger, e, na verdade, nos colocamos entre os mortos-vivos. Existimos, respiramos, trabalhamos, mas fechamos as possibilidades para uma vida plena.

Como ser destemida nos relacionamentos

A verdade é que você não consegue viver um relacionamento sem temores e satisfatório e, ao mesmo tempo, buscar aprovação para tudo. É preciso escolher. Se o mais importante para você é levar tapinhas nas costas por bom comportamento, ou evitar ser punida por mau comportamento (infrações pelo excesso de independência, por exemplo), você nunca será capaz de revelar seu verdadeiro "eu" nesse que é o mais íntimo dos relacionamentos. Na verdade, você nem mesmo saberá que existe um verdadeiro "eu" para ser revelado.

Para realmente amar outra pessoa, para superar nossos temores, não existe alternativa a não ser aprendermos a nos aceitar com todas as nossas deficiências. Enquanto perdurar a expectativa de que os relacionamentos irão preencher nosso vazio, irão nos isolar da ansiedade e da solidão, continuaremos nos desapontando. Para que sejamos realmente destemidas em nossos relacionamentos, precisamos ignorar as vozes dos nossos críticos interiores e da sociedade.

"Depois que meu primeiro casamento chegou ao fim, além de me sentir gorda e velha, eu temia que nunca iria encontrar alguém que me amasse novamente", disse-me Liz Perle, autora e editora. "Meu ex havia se apaixonado por uma mulher mais jovem e magra que, ao contrário de mim, não queria ter filhos e se dedicava exclusivamente a ele. Lá estava eu, uma mãe de meia-idade que não queria nada além de uma família. Eu havia sido rejeitada em todos os níveis que definiam quem eu era – meu corpo, minha independência, meus sonhos. Não é preciso dizer que estava em pânico diante da possibilidade de ficar só pelo resto da vida".

"Mas um dia um amigo me aconselhou a tentar marcar encontros via internet. Depois de rir muito da sugestão, decidi tentar. A natureza anônima do questionário permitiu que eu me descrevesse exatamente como eu era. Imaginei que se alguém me rejeitasse, pelo menos ninguém saberia meu nome. Assim tracei um retrato honesto de mim mesma – só cortei alguns quilos do meu peso. Coloquei todas as minhas opiniões, simpatias, antipatias e meus venenos 'destruidores de relacionamentos'. O exercício me fez perceber o quanto gostava de mim mesma – com verrugas e tudo. Como eu disse a uma amiga: 'ei, eu gostaria de sair comigo'. Compreendi que, se fosse me envolver novamente com alguém, seria melhor que todos soubessem exatamente onde estariam pisando".

"Para encurtar a história, conheci um homem que gostava daquilo que eu gostava a meu respeito e achou o resto adorável – ou ao menos tolerável. Mas se ele não tivesse aceitado quem eu era, eu nunca teria encontrado um novo amor. Em vez disso, teria tentado me adaptar à forma que, para mim, outra pessoa poderia amar. Esse amor é muito mais fácil e muito mais forte do que qualquer outro amor que tive antes. E estamos casados há cinco anos".

Não são apenas nossos censores interiores que precisam ser silenciados. O medo da censura por parte da sociedade também é forte.

Por exemplo: ninguém arregala os olhos quando um homem está com uma mulher vinte ou mesmo trinta anos mais jovem (e se comentam alguma coisa, normalmente elogiam o sujeito). Mas se uma mulher está com um homem mais jovem, a suposição é: tudo se resume a sexo, é um caso temporário, não é "real" ou deve haver algo de errado com o homem, a mulher ou ambos.

Para a mulher moderna, esse é um tabu que aciona o temor primário de ser rejeitada pela tribo. E para cada mulher que vai em frente e namora um homem mais jovem, de outra raça ou de classe social diferente – ou outra mulher –, em outras palavras, alguém que não se encaixa na ideia do mundo de um parceiro adequado, existe pelo menos uma mulher que nega a si mesma esse amor por medo da reprovação.

Quando aprendemos a nos aceitar – não apenas às nossas realizações públicas e sucessos privados, mas também aos nossos fracassos, imperfeições, covardias e desejos –, então podemos transcender nossos temores. Dominamos nossos temores aceitando-os e não amenizando-os.

Nossos relacionamentos mais significativos se baseiam no anseio por expansão e não na preocupação com conforto e segurança. Para viver de forma exuberante – para conhecer e ser conhecida por outra pessoa – precisamos estar preparadas para iluminar os pontos escuros dos nossos relacionamentos mais íntimos – assim como iluminar a nós mesmas.

A dádiva do medo

Dominar nossas emoções é uma questão de reconhecer o que nosso íntimo está realmente nos contando e saber quando rejeitá-lo ou ouvi-lo. Alguns temores são reais e devem ser ouvidos. Pode ajudar conhecer algo a respeito da química do cérebro. Uma pesquisa recente mostra que o cérebro de uma mulher prestes a se apaixonar está em um estado especial, alimentado por hormônios e produtos neuroquímicos, particularmente oxitocina e dopamina. E quando abraçamos, beijamos ou tocamos, mais oxitocina é liberada, acionando os circuitos de confiança do cérebro. Esses hormônios podem nublar nosso julgamento e acionar um interruptor interno, desligando o circuito cerebral que nos diz para ir devagar. Adeus, independência; olá, paixão cega.

Assim, exatamente no momento em que o medo poderia ser útil para nos tornarmos mais vigilantes, os feromônios nos levam a nos entregar. Mais tarde, quando já estamos fundo no relacionamento, permitimos que as vozes que reprimimos inicialmente falem – às vezes gritem – que algo está muito errado. Com que frequência ouvimos mulheres dizer "ele mudou"? Ele "subitamente tornou-se violento, ciumento, controlador ou distante. Havia "uma outra mulher de cuja existência eu não sabia". E assim por diante. Mas será que ele mudou, ou deixamos de ouvir a voz interna que alertava para ir mais devagar e colher informações antes de nos entregar a uma intimidade que não tinha base? É aí que nosso instinto de sobrevivência poderia ser muito útil, permitindo que gastássemos menos tempo, energia e desgosto com relacionamentos errados.

Mas se nos apressamos e tomamos uma decisão errada – como certamente tomaremos – deveríamos ao menos nos perdoar, aprender e seguir em frente.

Quando as coisas vão mal, muito mal, questionamos tudo – especialmente nós mesmas. Onde erramos? Essas perguntas trazem à tona todos os temores básicos que discutimos anteriormente. Mas algumas vezes, se achamos que o relacionamento é válido, precisamos superar nossos temores e caminhar através das partes mais sombrias de nós mesmas e dos seres amados.

Dizem que a perda de um relacionamento é a noite escura da alma, mas não acredito. A verdadeira noite escura da alma não é o incidente que nos joga em nossas trevas, nem a dor que se segue. São os meses e anos que passamos tentando confiar de novo e abrir nossos corações à vida e a outra pessoa.

Tornar-se assertiva no amor

Uma das coisas que as mulheres acham difícil fazer em relacionamentos é deixar claro o que querem. Na verdade, tememos afastar o homem se formos claras. Mas parte do destemor é expressar o que é importante para nós e saber que somos suficientemente fortes e estamos dispostas a sair do relacionamento se a outra pessoa não puder suportar a mera expressão de nossas necessidades.

É claro que devemos estar cientes de como pedimos aquilo que queremos. Estamos pedindo ou exigindo? Aquilo que pedimos é o que realmente queremos ou um substituto para outra coisa que temos medo de pedir? E se nem sempre obtemos o que queremos (o que é inevitável), vamos ficar amargas e ressentidas com isso?

Um fator para superar o medo de ser assertiva no amor é reconhecer que conflitos não só são normais em nossos relacionamentos íntimos, mas também podem fortalecê-los. Quando fugimos de um conflito, estamos evitando uma oportunidade para aprofundar nossos relacionamentos. Lembro-me de um belo sermão que ouvi anos atrás sobre "tornar-se casado": a recomendação era a de que víssemos o casamento como um processo e especialmente que estivéssemos abertos para o lado negativo da intimidade – a mágoa, as críticas, as perdas que trazem profundidade ao relacionamento e nos aproximam um do outro. Foi nos aconselhado a ter cuidado com um relacionamento sem espaço para raiva ou dor, que é vivido na superfície agradável de máscaras sorridentes que nos impedem de experimentar nossa própria vulnerabilidade e a realidade um do outro. O conselho foi de que notássemos os dispositivos de autoproteção atrás dos quais nos refugiamos, que são de fato autodestrutivos. É claro que, quando falo em conflito, não me refiro a risco físico. Nesse caso a fuga é a única opção.

As recompensas do destemor emocional – a disposição para mostrar raiva, amor, até medo – são muitas. A mais profunda delas é o dom de uma profunda intimidade, que tem a ver com conhecer e ser conhecido. Mas conhecer e se deixar conhecer requer a superação de muitos temores antigos – mas vale todos os riscos. Também é um processo interminável. O sinal mais claro de que você está no relacionamento certo é que você gosta de quem está se tornando quando está com a pessoa. Assim, tudo gira em torno de achar seu melhor "eu" e não se perder em outro, de descobrir alguém com quem gosta de estar, não alguém para salvá-la de si mesma.

Sem medo de viver só

Fui solteira, fui casada e fui divorciada. E, embora meu casamento não tenha dado certo, nem o dos meus pais, tenho a sorte de ter amigos em casamentos felizes e longos. Assim, apesar de não pensar em casar tão cedo, não sou uma cínica a respeito do casamento. Mas vi muitos casamentos mantidos só pelo medo e pelas convenções – relacionamentos só com âncora, sem velas.

"Navios no porto estão seguros", disse alguém certa vez, "mas não é para isso que eles foram feitos". E algumas vezes os relacionamentos se tornam não parcerias da grande aventura da vida, mas desculpas para nos impedir de crescer, assumir riscos e viver a vida na sua plenitude. É claro que a presença de filhos sempre complica a decisão de se permanecer juntos e ir em frente, mas o mais importante é que, seja qual for a decisão, ela deve provir do destemor e não do medo.

Muitas mulheres divorciadas que conheço disseram que era um alívio deixar seus casamentos insatisfatórios e como era confortável viver só. E também há jovens mulheres adotando a vida a sós como uma virtude em si mesma e não um estágio antes do casamento.

Marja Adriance, que dirige meu escritório, deu uma dúzia de razões pelas quais pode ser ótimo viver só:

1. Porque posso falar sozinha em voz alta. E não só um pouco, mas manter conversas inteiras onde assumo ambos os lados, me censuro, volto atrás, ofereço conselhos e os ignoro, reconto velhas histórias, derroto a mim mesma, me divirto, esclareço e inspiro. Sou minha melhor amiga.

2. Porque posso passar o dia inteiro sem me vestir nem escovar os dentes e ninguém se importa.

3. Porque, quando ninguém está olhando, sou uma boa dançarina.

4. Porque posso comer o último biscoito sem perguntar se alguém quer.

5. Porque posso escovar o piso do banheiro com uma escovinha muito pequena a uma hora da madrugada quando me canso de olhar para ele.

6. Porque me apaixono todos os dias pelos meus surpreendentes amigos; nenhum deles sai comigo porque estou fazendo sexo com ele.

7. Porque posso ficar em silêncio sem me preocupar a respeito de ser rude ou chata.

8. Porque não preciso pensar, nem por um momento, a respeito do que outra pessoa quer fazer.

9. Porque ninguém jamais escreveu um manifesto numa festa.

10. Porque depois de ter passado muitas horas sozinha, inquieta e entediada, perguntando o que saiu errado na minha vida, (muitas vezes) vem a inspiração.

11. Porque tenho a cama inteira para mim.

12. Porque estou livre da perigosa armadilha da comparação e sou suficientemente esperta, bonita, charmosa, talentosa, realizada, educada, bondosa, divertida, interessante e boa!

Marja também é suficientemente destemida. Ela não elimina a possibilidade de se casar, mas está satisfeita na condição de solteira. Quer estejamos sós ou em um relacionamento, a coisa mais importante é conduzir nossas vidas não por carência e necessidade, mas com destemor e confiança.

3

Ser mãe

Além da idade da culpa

NÃO HÁ AMOR mais intenso do que aquele que temos por nossos filhos. E sempre que há um amor intenso, existe um medo intenso espreitando logo abaixo da superfície.

A facilidade com que de repente sentimos medo não tem tornado a maternidade mais fácil na era moderna. O impulso para proteger nossos filhos é primário. Nessa era de sequestros, aids, drogas, violência nas escolas, hipersexualidade, para não mencionar o terrorismo e a gripe aviária, todos os nossos temores tradicionais a respeito da segurança e do bem-estar dos nossos filhos são multiplicados e ampliados.

Minha filha Isabella tinha onze anos quando começou a ser obsessivamente cuidadosa a respeito do que comia. Ela fixou-se em proteínas, verduras e um pouco de frutas – e isso era tudo. Foram-se os carboidratos e os doces. E entraram coisas como levantar cada vez mais cedo e pular corda por horas ou me tirar da cama para longas e rápidas caminhadas nas vizinhanças, antes da escola.

Mas foi quando na festa do seu décimo segundo aniversário, com todas as melhores amigas em volta da mesa, quando ela não tocou em seu bolo, que percebi que tínhamos um problema sério. Eu deveria ter percebido muito antes, mas como ela sempre havia sido magra e atlética, e comia da mesma maneira que eu, não vi os sinais.

Quando me dei conta de que estávamos lidando com os primeiros sintomas da anorexia, marquei uma consulta com um médico, que basicamente contou a Isabella que, se não engordasse quatro quilos nos dois próximos meses, ela teria de ser hospitalizada. Não sei quem ficou com mais medo – Isabella ou eu. Minha mãe havia morrido dois anos antes, mas meu primeiro pensamento foi: o que ela pensaria? O que a avó de Isabella – para quem a comida era parte sagrada da vida – acharia da rejeição da neta em alimentar-se?

Meus temores também se misturavam à culpa. A falha seria minha? Haveria relação com o fato de eu também estar rejeitando comida para controlar meu peso? Estaria eu reforçando subliminarmente em minha filha as mensagens destrutivas que exaltam a magreza e que permeiam nossa cultura?

Tivemos sorte – Isabella começou rapidamente a ganhar peso e parece ter deixado para trás as tendências anoréxicas. Mas ainda me lembro como se fosse ontem, um dia em que as crianças e eu estávamos em férias em Londres, dois meses depois da consulta ao médico. Isabella estava em um pequeno cabeleireiro perto do hotel. Olhei na pia e vi que estava cheia de chumaços do cabelo dela. A visão dos lindos cabelos vermelhos de Isabella jazendo sem vida na pia encheu-me de terror. Corri de volta ao hotel e liguei para o médico, que explicou que a queda de cabelo é com frequência uma reação retardada à perda de peso. O medo passou, mas naquela noite não consegui deixar de controlar cada pedaço de comida consumido por Isabella.

Medo do parto

Apesar de todo o nosso conhecimento científico a respeito do parto, o milagre do nascimento nunca diminuiu ao longo dos séculos. A incrível realidade de que nós mortais podemos realizar o ato da criação humana – igualando em certo sentido a criação de Deus no sexto dia do seu trabalho – nos altera para sempre. Mas a possibilidade de parir também nos deixa paralisadas de medo.

Perdi meu primeiro filho aos cinco meses de gravidez. Em consequência disso, passei minha gravidez seguinte terrificada. Rezei para que meu bebê fosse sadio. Eu estava absolutamente convencida de que seria uma menina e o quarto dela era todo rosa e lilás. "Como você sabe?" perguntou meu marido. "Eu sei", respondi.

Eu estava planejando um parto normal e trabalhando com uma parteira maravilhosa que me ajudou a acalmar meus temores, mas também tomei providências para que o parto fosse realizado no Hospital da Universidade da Califórnia – para o caso de haver complicações no último minuto. Assim, dez dias antes da data prevista, fomos de Santa Bárbara, onde vivíamos na época, para um hotel próximo. A ideia era fazer o máximo possível do trabalho de parto no hotel e ir para o hospital na hora H. Era um bom plano, com o qual todos os envolvidos concordaram.

Exceto o bebê. Fomos para o quarto do hotel na hora marcada e esperamos os dez dias previstos. Nada. Quinze dias. Nada. Vinte. Vinte e cinco. E nada. Meus temores estavam crescendo. Enquanto isso, o hotel tinha sido vendido a investidores japoneses, ganhando as páginas da imprensa porque outro apreciado imóvel da Califórnia era adquirido por estrangeiros.

No trigésimo dia da nossa permanência no hotel, houve finalmente alguma demonstração de interesse por parte do bebê. Em menos de uma hora, era um interesse mais que casual; eu estava inegavelmente em trabalho de parto. Para reduzir a dor, a parteira e eu começamos a caminhar pelos jardins, indo e voltando ao saguão do hotel.

Porém, àquela altura, jornalistas e fotógrafos japoneses e americanos haviam se dirigido ao hotel para cobrir a mudança de dono. Assim, nossas caminhadas eram marcadas por minhas ocasionais tomadas de fôlego, pelas palavras de apoio da parteira e pelos olhares de descrença preocupada de turistas, fotógrafos japoneses e duas equipes locais de televisão. Quando, de acordo com a parteira, eu estava a uma hora do parto, meu marido colocou todas nós – àquela altura minha mãe e minha irmã haviam se juntado a nós – no carro e fomos para o hospital. Trinta minutos depois, Christina nasceu e meu medo do parto havia desaparecido.

Até mesmo amamentar provoca temores primários. E se meu leite não vier? E se ele não for suficiente para que meu bebê sobreviva? E mesmo que seu leite seja suficiente e você domine a arte do bombeamento, a "fobia por seios" cresce tanto nos EUA que mais de vinte estados norte-americanos tiveram de aprovar leis apenas para esclarecer que as mulheres têm o direito de amamentar em público – que amamentar não é uma ofensa criminal como a exposição indecente.

Na Califórnia, a lei que foi aprovada em 1997 sofreu oposição de quatorze deputados. E nem todos eram homens. A deputada Lynne Leach explicou que objetava à amamentação em lugares públicos, em especial se houvesse crianças presentes. Meu Deus, e eu pensava que era a amamentação sem a presença de uma criança que era inadequada em público!

Assim, nessa nação fundada por puritanos ingleses, as mulheres foram solicitadas a deixar lojas, museus, restaurantes, academias – inclusive as seções exclusivamente femininas, porque foram consideradas insolentes por alimentar seus bebês famintos. Até mesmo esse ato muito natural pode nos encher de medo.

Proteger nossos filhos

Os perigos que ameaçam nossos filhos crescem com eles. Não é de admirar que as vendas de sistemas de vigilância de alta tecnologia estejam em alta – bichos de pelúcia conectados a satélites, roupas com identidade codificada, dispositivos para conectar os celulares de crianças a satélites de posicionamento global, até mesmo o monitoramento por vídeo dos seus aposentos de qualquer lugar em que você estiver. A questão da espionagem sem permissão pode estar em debate, mas nos lares ela já está instalada.

Essa não é uma resposta totalmente irracional ao mundo que nossos filhos habitam, mas não há maneira mais rápida para acabar com a alegria da maternidade – e também sua qualidade – do que o excesso de proteção.

A novelista Leslie Lehr resume os perigos reais enfrentados por nossos filhos: "uma colega de escola da minha filha se matou no ano passado. Outra tomou uma overdose. Outra engravidou. Essas são apenas as que eu sei. Numa escola pública grande, essas estatísticas não são altas, mas são sempre devastadoras. Numa cultura de sexo, drogas e pressão acadêmica, como proteger nossos filhos? Talvez eu tenha tido sorte de sair ilesa da adolescência, mas como posso garantir que minhas filhas sairão? De acordo com os especialistas, toda criança está em risco. Assim, recitei estatísticas, alertei-as a respeito de fraquezas e irritei-me ao primeiro sinal de lágrimas. Praticamos o que dizer se alguém lhes oferecesse drogas e como me chamar de qualquer lugar, a qualquer momento. Eu não tinha nenhuma razão para fazer buscas nas suas gavetas, mas lia todos os bilhetes picados que achava na roupa para lavar. Ligava para os pais antes de reuniões de jovens para perguntar se havia armas de fogo na casa. Podem me chamar de paranóica, mas minhas filhas sabiam que eu confiava nelas; apenas não confiava nos outros. E por algum tempo, isso funcionou. As duas eram 'bem-comportadas'. Contudo, havia uma coisa que eu não havia considerado: o medo estava arruinando nosso relacionamento".

Pairando sobre todo o nosso amor e proteção está o temor de que nossos filhos irão se desligar de nós, até mesmo nos rejeitar – em especial na adolescência.

Vivemos com tanto medo de drogas injetáveis, sexo e da influência que os colegas de nossos filhos têm sobre eles que ficamos desesperados para mantê-los perto de nós, mesmo que seja ao custo de transformar a maternidade numa amizade unilateral.

O mito da supermãe

Nossos temores a respeito da segurança de nossos filhos misturam-se a nossos temores sobre nosso valor como mães. O medo de fracassar como mãe nos confronta não apenas quando temos que lidar com crises reais – drogas, problemas de alimentação, gravidez indesejada –, mas até mesmo quando enfrentamos situações mais triviais.

Estou convencida de que, uma vez que se torna mãe – quer você fique em casa ou trabalhe fora –, quando sai com seu bebê, sente-se culpada. A partir desse momento, o bebê e a culpa começam a crescer. E, à medida que nossos filhos crescem, o medo de que nunca somos suficientemente boas, nunca fazemos o suficiente, só se torna mais intenso.

Aumentando a culpa, toda mãe sente que há uma expectativa social para que seja não apenas uma boa mãe, mas uma supermãe absoluta, quer trabalhe em casa ou fora dela. E que ainda deva parecer sexy.

De onde vêm todas essas demandas? Boa parte, com certeza, é gerada pelo poder da mídia. A maneira desesperada, ansiosa e controladora pela qual muitas mulheres cuidam do papel da maternidade, transformando energia que costumava exigir mudanças sociais em ânsia por controle, é nosso marco como geração. Chamamos para nós, como supermães, sermos para nossos filhos tudo o que a sociedade se recusa a ser: não apenas provedoras amorosas, mas educadoras, guardiãs da pureza ambiental, protetoras de um futuro estável e próspero.

A angústia da mãe que trabalha fora

À medida que as mulheres fazem cada vez mais malabarismos com a maternidade e suas carreiras, elas estão misturando seus sentimentos de culpa com temores destruidores da alma a respeito de abandonar seus filhos com estranhos – babás, creches e professores.

Lembro-me de estar num jantar em Nova York enquanto minhas filhas, então com sete e nove anos, estavam em casa, em Los Angeles. Como sempre faço quando estou longe delas, eu estava usando meu relógio com dois fusos horários (e observando também meu relógio interno). Olhei para o relógio de pulso e soube que, naquele instante, Isabella tinha acabado de voltar da casa de uma amiga e Christina estava fazendo suas lições de casa. Uma amiga minha, mãe que também trabalha, chegou tarde ao jantar e anunciou que voltava de um espetáculo na escola da filha. "Na verdade", sussurrou ela em meu ouvido, "não houve nenhum espetáculo. Eu apenas queria colocá-la na cama sem pressa. Mas é tão difícil as pessoas entenderem isso". Eu certamente entendi – e a culpa que começou a brotar estragou para mim o resto do jantar. Além disso, estamos num momento cultural em que há mais simpatia pelo ato de malabarismos do pai ocupado (veja aquele sujeito com sua maleta executiva e empurrando o carrinho de bebê – que homem responsável!) do que pelos malabarismos da mãe que trabalha ou daquela que fica em casa. Tememos que até mesmo pedir um aumento no trabalho irá de alguma forma ameaçar nossos progressos econômicos conquistados com dificuldade e nos relegar de volta à "carreira de mãe" (sem promoções, nem aumentos). Assim, enquanto há poucas coisas para as quais um homem obtém mais aprovação social do que sair cedo de uma reunião de negócios para ir à partida de futebol do filho, uma mãe que trabalha, preocupada com o estigma da carreira de mãe, deixará de ir à partida ou se desculpará de forma teatral por deixar a reunião. É mais provável que ela compense em excesso e opte por trabalhar, ou use um subterfúgio quando optar pelos filhos, como fez minha amiga no jantar.

Ambivalência doméstica

As mães que ficam em casa têm seu próprio conjunto de temores. A combinação de isolamento com perda de identidade profissional pode deixá-las lutando com o medo, tentando desesperadamente descobrir se elas são boas mães – em especial quando ser mãe em tempo integral não for como elas imaginavam.

Lori Lenzer, leitora do site *Huffington Post*, comenta: "fui mãe pela primeira vez aos trinta e oito anos, depois de trabalhar em tempo integral por quatorze anos. Hoje fico em casa com minha filha. Constatei que o aspecto de culpa da maternidade tende a ser mais intenso se você permitir que os comentários alheios impensados permeiem seu senso de valor próprio. Há pessoas que comentam: 'oh! Como deve ser fácil ser mãe!'. Não importa se não consegui dormir uma noite inteira durante oito meses... que tive períodos de 24 horas sem dormir... que não como uma refeição quente há meses... que nem sempre pude ir ao banheiro quando realmente queria! Quando seu filho nasce, as necessidades dele vêm em primeiro lugar... e ponto final".

E também há o medo da vida lá fora estar nos deixando para trás. Qualquer que seja a opção que fizermos, ou que a vida tenha feito por nós, pode parecer errada.

Divórcio

Quer trabalhemos ou fiquemos em casa, muitas vezes o medo cresce exponencialmente quando somos, ou nos tornamos, mães solteiras – enfrentando tudo sozinhas, ajudando nossos filhos a lidar com os estresses do divórcio ou dividindo tarefas com pessoas das quais estamos separadas.

Eu me casei tarde e, na época, acreditava que era para a vida toda. Depois de onze anos, quando ficou claro que meu casamento havia terminado, fui dominada por um medo devastador a respeito dos outros: o que iria contar às minhas filhas? Como podia eu – que faria tudo para protegê-las da dor – ser a pessoa que iria feri-las de uma forma tão real e possivelmente prolongada?

Christina tinha oito anos e Isabella seis. Isabella, para minha surpresa, recebeu a notícia sem problemas. Mas Christina ficou devastada. Ela recusou-se a aceitá-la e pedia todos os dias que eu saísse para "jantar com papai". Ela havia se convencido de que um romântico jantar à luz de velas resolveria todos os problemas dos seus pais. Afinal, se ela amava a ambos tanto, como eles não poderiam amar um ao outro?

Nós nos mudamos de Washington para Los Angeles poucos dias antes do meu divórcio tornar-se oficial, em 1997. Christina tinha uma casa nova. Logo ela tinha uma nova escola e novos amigos, mas eu podia ver que ela não desistia da esperança de que seu pai e eu voltaríamos a ficar juntos.

Mas eu não podia permitir que meus temores a respeito das consequências do meu divórcio me incapacitassem como mãe. Eu tinha uma escolha clara a fazer: consumir minhas energias temendo o futuro ou fazer o melhor que pudesse por minhas filhas no presente.

A coragem para ser mãe solteira

E quanto à mulher que decide ter um filho sem estar casada e sem nenhum parceiro? Apesar de ela enfrentar os mesmos temores enfrentados por todas as mães, a falta de alguém em quem confiar emocional, física e financeiramente pode intensificar muito seu nível de ansiedade. E ela tem de enfrentar o estigma social que ainda acompanha essa decisão. Para Julia May, antes alta executiva na indústria de entretenimento e no momento mãe em tempo integral, a opção de buscar a maternidade como mulher solteira significou que ela precisaria enfrentar dois conjuntos de temores: o medo de não estar à altura do desafio de ser mãe sozinha e o medo da desaprovação daqueles que a cercavam: "meus pais tinham expectativas amorosas para mim desde quando minha mãe me segurava nos braços e meu pai empurrava meu carrinho. Eles me viam casada com um bom homem, com filhos aos meus pés e netos. Minha opção por uma produção independente significou a destruição das esperanças deles em relação a mim".

Muitas famílias não têm referências nas quais encaixar uma decisão como a de Julia. "Mas tão logo começam a murmurar seu terrível segredo de família a outras pessoas", diz Julia, "elas começam a descobrir que quase todo mundo conhece alguém que teve um bebê usando inseminação artificial, doador ou por meio de adoção. No meu caso, minha mãe, que ficou desapontada com minha escolha, esteve presente à operação de inseminação artificial. Hoje ela alardeia que estava presente à concepção... às suas amigas de igreja! Minha mãe foi do medo e desgosto para uma espécie de orgulho confuso por mim. Meu destemor diante do impensável abriu para ela portas que nunca se abririam de outra forma e ela começou a ver que também tinha opções".

Holly Vanderhaar, uma estudante de pós-graduação, também optou por ser mãe solteira. Não foi uma decisão fácil: "pergunte a qualquer amiga de infância: eu sempre quis ser mãe. Durante todas as oscilações que ocorreram com minhas aspirações profissionais, essa foi minha única constante certeza, o centro em torno do qual minha vida sem rumo flutuou".

Quando Holly descobriu que estava grávida de gêmeos idênticos, "a dúvida entrou na equação, em conjunto com meus hormônios de gravidez. O equilíbrio de poder havia mudado. Eu iria ser superada em números. Posso lidar com um, mas como irei lidar com dois? Ao mesmo tempo? Aquilo não fazia parte do meu plano de jogo. Hoje minhas filhas têm três anos, são ousadas e audaciosas, destemidas, otimistas. Cada situação é uma oportunidade para excitação e aventura. Nunca passa pela cabeça delas que o perigo está à espreita, que elas podem falhar, ser feridas ou desapontadas. Meu Deus, gostaria muito de poder 'engarrafar' isso e lhes devolver daqui a dez anos, caso o mundo lhes pareça tão sombrio quanto me parecia aos treze anos".

Mas isso não era o fim do medo de Holly: "eu me preocupo a respeito do mundo e sua intolerância, em especial no nosso mundo política e religiosamente conservador. Sou perturbada pelo pensamento de que algum dia, alguém irá fazer com que elas se sintam 'menos' porque foram concebidas por uma doação de sêmen. Espero que tenham coragem de ficar em pé por si mesmas e suas convicções em qualquer companhia, mas elas não devem pagar por uma vida que escolhi para elas. Estou orgulhosa da minha decisão de ser uma mãe solteira, mas dei à luz meninas, não estandartes de batalha, e não irei criá-las para que sejam a infantaria da minha batalha pessoal".

Com todos os temores e preocupações, esse é o resumo de Holly: "antes de ter minhas filhas, eu estava à deriva. Agora estou ancorada e, ao mesmo tempo, navegando".

Como ser uma mãe destemida

A maternidade faz aflorar reservas de coragem que não suspeitávamos possuir. Deborah Daniels Wood, comentarista do site *Huffington Post*, escreveu: "ser mãe é, provavelmente, a única coisa que torna destemida a maior parte das mulheres. Ficaríamos diante de um trem, de uma bala ou de um cão raivoso, seja lá o que estivesse ameaçando nossos filhos".

Foi assim que superei os problemas alimentares de Isabella. O que me ajudou na época, e sempre ajudou a lidar com meus temores, foi o fato de que tenho de ser destemida por elas, porque nada desperta mais depressa o medo no coração de uma criança do que uma mãe medrosa. Saber que você precisa ao menos parecer destemida para seus filhos – para transmitir a garantia de que tudo acabará bem – pode ter o efeito de torná-la de fato destemida.

Lia Hadley, leitora do site *Huffington Post*, enviou-me um e-mail a respeito de uma viagem que fez a Londres com a filha de nove anos: "quando chegamos ao aeroporto, era tarde da noite e tivemos de fazer uma longa jornada de trem até o centro da cidade. Enquanto esperávamos pelo trem (sem nenhuma outra criança à vista), minha filha começou a chorar porque tudo era tão estranho para ela, havia muitas pessoas, estava escuro e sua hora de dormir havia passado. Tentando mostrar que ela não precisava se preocupar porque estava com sua mãe, uma viajante experimentada, tivemos uma discussão que ao menos a acalmou ao ponto de parar de chorar. Ao final da jornada (cinco dias mais tarde), ela havia gostado tanto que disse que queria se mudar para Londres quando crescesse".

Algum tempo depois, Lia perguntou à filha o que fez a aventura em Londres mudar de assustadora para divertida. "Eu acho", respondeu ela, "que foi porque percebi que, apesar de você se perder toda hora, sempre conseguíamos ir aonde queríamos. Você pedia orientação a todos os tipos de estranhos, as pessoas eram tão amigáveis e prestativas e tivemos conversas tão interessantes que descobri que estar perdida pode ser muito divertido".

Quando me lembro da minha infância, minha mãe agiganta-se como mestra de destemor. Algumas maneiras pelas quais ela ensinava destemor à minha irmã e a mim eram mais excêntricas do que outras.

Certa noite, quando minha irmã e eu éramos adolescentes, fomos assistir a uma peça do escritor Tchekov. Saímos da casa, fechando a porta atrás de nós. Minha mãe percebeu que havia esquecido sua bolsa dentro de casa – a bolsa que continha não só os ingressos para a peça e seu dinheiro, mas também a chave da casa. Qualquer pessoa normal provavelmente teria reorganizado as prioridades da noite, cancelando o teatro e chamando um chaveiro para abrir a porta.

Mas minha mãe nem piscou. Ela foi até o apartamento do síndico, bateu na porta e lhe pediu algum dinheiro. Pegamos um táxi e, quando chegamos ao teatro, ela foi à bilheteria e explicou o ocorrido.

Tivemos que esperar até todos terem se sentado e então nos deram três lugares vagos. Minha irmã Agapi e eu perguntamos como iríamos entrar na casa e minha mãe disse: "não pensem nisso, aproveitem a peça [coisa que fizemos] e tudo dará certo".

Acontece que nosso apartamento em Atenas ficava no terceiro andar, em frente ao quartel dos bombeiros. Minha mãe tinha um plano. Quando voltamos para casa, ela foi até o quartel e, à sua maneira charmosa, perguntou aos bombeiros se poderiam trazer uma escada até uma janela do nosso apartamento, coisa que eles fizeram. Em pouco tempo a janela estava aberta e estávamos em casa. É claro que então minha mãe lhes serviu sopa e nos divertimos muito!

Lembro-me daquela noite sempre que me defronto com voos cancelados, carteiras perdidas e planos que não dão certo. Minha mãe era mestra em nunca entrar em pânico e em confiar que a vida sempre lhe dá soluções. Ela preferia viver o momento – mesmo que nesse momento ela estivesse sem as chaves de seu apartamento – com a garantia de que tudo daria certo. Essa confiança e esse destemor lhe davam bom retorno, mantendo-a aberta e receptiva a soluções.

Para Diane von Furstenberg, as mais fortes lições sobre destemor também vieram de sua mãe. Diane tomou de assalto a indústria da moda nos anos 1970, quando desenhou um pequeno vestido que iniciou um negócio de um bilhão de dólares. Trinta anos e muitos empreendimentos depois, ela ainda dá créditos a sua mãe. "Minha mãe", disse-me ela, "sempre dizia que o medo não é uma opção. Quando eu tinha oito anos ela me colocou sozinha em um trem de Bruxelas para Paris. Eu estava com muito medo, mas também fiquei orgulhosa por chegar em segurança ao meu destino. Minha mãe era uma sobrevivente do Holocausto e, quando foi libertada pelos russos em 1945, ela pesava pouco mais de 22 quilos. Levei muito tempo para compreender a enormidade daquilo por que ela passou e da minha herança – e a maneira pela qual ela havia conseguido transformar tanta dor em algo positivo. Cresci com o legado de que a vida é um milagre e que sou a filha de uma sobrevivente, não uma vítima. Assim, quando sinto dor ou medo, olho através dele em busca da luz e do destemor".

Quando há becos sem saída, também há retornos e, se não entrarmos em pânico, pontes podem aparecer – precisamos apenas acreditar que existe um caminho. E sempre existe um. Esse conhecimento é uma dádiva de destemor que podemos transmitir a nossos filhos.

Nem todos os temores surgem da mesma forma

Se coragem é o conhecimento daquilo que não deve ser temido, não existe nada como ser mãe para nos ajudar a priorizar e reconhecer como muitos dos nossos temores são triviais comparados com o que realmente é importante.

Janet Grillo, uma escritora-produtora que vive em Los Angeles e cujo filho é autista, contou-me: "o maior medo de uma mãe é que seu filho sofra algum mal. Que a maravilha perfeita do seu bebê de algum modo seja desfeita. Que ela vire a cabeça exatamente no instante em que ele escorrega. Que o café quente, o cabo solto de uma panela, uma pílula perdida, encontre seu filho. Não sei se as vacinas que insisti que ele tomasse, como mãe responsável seguindo prescrições médicas responsáveis, causaram algum dano a ele. Ou se foram os antibióticos receitados para combater os estreptococos. Ou se as toxinas no ar e na água, que permeiam tudo o que comemos e respiramos chegaram, depois de gerações, a um ponto crítico. Ou se não foi nada disso, mas talvez fosse o destino genético do meu filho, um despertador que iria tocar quando ele completasse dois anos, independentemente do que eu fizesse ou deixasse de fazer. Ou talvez meu próprio medo tenha feito tudo acontecer, como uma espécie de resposta extraordinária de um Deus cruel".

"O que eu sei é que, quando meu filho alerta, interessado, encantador e vivaz completou dois anos, ele começou a se afastar mais dia a dia. Ele flutuou para longe de nós, da nossa família, do nosso mundo, na direção de um lugar interior remoto e particular".

Essa foi a coisa mais difícil e assustadora que Janet e seu marido, o diretor de cinema David O. Russell, jamais enfrentaram. Porém, como disse Janet, "no fim das contas, fé e medo não podem coexistir. Um deles teria de prevalecer. Eu simplesmente não podia me dar ao luxo de sentir medo. Diante das necessidades imediatas do meu filho, o medo havia se tornado auto-indulgência. Ele estava sendo engolido pelo autismo e eu poderia me esforçar para entrar na névoa que o segurava e tirá-lo de lá, ou poderia continuar temendo perdê-lo. O medo teria que ser deixado de lado. E a fé foi o que emergiu dos pequenos triunfos, quando seu olhar voltava para nós".

Os filhos nos ajudam a explorar essa fé, a fonte de força vital que vaporiza os temores. Eles nos ajudam a ver o mundo com mais confiança e a descobrir um amor que não sabíamos ser possível.

Trabalho não é palavrão

Perguntei à editora Leslie Morgan Steiner, a respeito da sua jornada do medo ao destemor. Ela disse que continuar a trabalhar depois de ter tido filhos seu "segundo ato de destemor". (O primeiro foi abandonar um marido abusivo.)

"Eu poderia ter ficado em casa", disse ela, "dependendo do meu marido, do governo ou qualquer outra combinação incipiente de sorte e caridade. Algumas mulheres fazem isso e essa é a decisão correta para elas. Em vez disso, eu confiei em mim mesma, tive esperança, gritei. Agi com destemor, mesmo quando estava amedrontada. Ia trabalhar todos os dias. Eu era a mãe e precisava prover para meus filhos e cuidar de mim mesma para poder cuidar deles".

Eu também senti medo, como Leslie, mas lutei contra ele, em parte, quando aceitei que nunca iria desistir do meu trabalho para ser mãe em tempo integral e, em parte, quando deixei de me comparar com minha mãe, a perfeita mamãe em tempo integral para quem nada mais importa. Agora sei que cada dia me dá muitas oportunidades para fazer opções que têm um grande efeito sobre a vidas de meus filhos. São as pequenas decisões do dia-a-dia – em vez de grandes respostas teóricas – que irão determinar se as bolas que irão cair durante nosso ato de malabarismos serão nossos filhos. Quanto a mim, passei a ter menos medo de estragar tudo como mãe, de fazer as opções erradas. Menos medo de que as pequenas coisas que eu faça de errado ou deixe de fazer estejam causando danos permanentes – embora meus filhos de vez em quando afirmem o contrário. (Você já percebeu como nossos filhos podem ser máquinas eficazes para identificar culpa e utilizá-la?)

Assim sendo, constatei que não posso ignorar a diferença que faz na vida de minhas filhas – algo óbvio pela diferença em seus sorrisos – quando opto por dedicar a elas não apenas "tempo de qualidade", mas sim tempo em quantidade ininterrupta (o que, na verdade, é mais ou menos a mesma coisa). Sou mais importante que os colegas delas e preciso permanecer mais importante através dos seus anos de adolescência.

Mas, no final, a psicoterapeuta Heide Banks me disse: "se você analisar a melhor pesquisa sobre criar filhos, tudo se resume em somente uma coisa. Não é o que você ensina aos seus filhos, nem quanto tempo passa com eles, nem o fato de ler ou não para eles. O importante é quem você é, porque ensinamos aquilo que somos. Se você lê, seu filho irá ler. Se assiste muita TV, ele fará o mesmo, e assim por diante. Portanto, a melhor maneira para superar todas as preocupações é ser a melhor possível. E perdoe-se quando não for. E não nutra expectativas irreais sobre seus filhos quando não estiver lhes mostrando o comportamento que deles espera. Seja um exemplo de si mesma, o qual seus filhos possam se orgulhar".

Lidar com o divórcio

Como cerca de metade de todos os casamentos acabam em divórcio, precisamos em primeiro lugar perdoar a nós mesmas, e, a seguir, encontrar maneiras inovadoras para minimizar os danos do divórcio sobre nossos filhos, usando o amor como guia.

No meu caso, uma coisa importante para minhas duas filhas era que nós quatro pudéssemos passar o Natal e os aniversários delas juntos como uma família. Assim, apesar de meu marido e eu termos tido muitos problemas em dez anos, a partir do nosso divórcio – sua revelação como bissexual dois anos depois do fim do nosso casamento, minha candidatura ao governo estadual, nossas visões diferentes sobre a educação das filhas –, fizemos um grande esforço para superar todas as dificuldades e voltar a sermos amigos, unidos para sempre em nome das duas filhas que pusemos no mundo.

Com poucas interrupções, temos continuado a passar juntos todos os Natais e aniversários. E através da superação das dificuldades, nos tornamos mais próximos do que nunca desde nosso divórcio. De fato, no último dia 12 de abril, um magnífico buquê de flores, que incluía vinte rosas amarelas, chegou à minha casa. O cartão dizia "Feliz 20º aniversário. Sempre seremos os pais de duas jovens notáveis. Amor, Michael". Aquele teria sido nosso vigésimo aniversário de casamento.

Não sobrevivemos como casal, mas ao menos sobrevivemos como pais das nossas filhas. E isso tornou muito mais fácil para mim perder o medo do impacto do divórcio sobre as meninas.

Além das feridas do divórcio e dos temores por nossas filhas, muitas mulheres enfrentam a necessidade de ganhar a vida quando podem estar completamente despreparadas para isso. Nelle Bellamy-Doyle, hoje com oitenta anos, aposentada e uma ávida golfista, viu-se "no precipício do medo total", em suas próprias palavras, quando seu casamento terminou e ela foi deixada com três filhos pequenos para sustentar.

A pior parte foi quando seu irmão, seu único parente vivo, a censurou: "Nelle, você é uma dona de casa e mãe. Talvez esse divórcio não tenha sido uma boa opção". Seu primeiro emprego depois de divorciada foi numa agência de viagens, onde ela dividia uma mesa e recebeu uma quota para cumprir. Duas agências de viagem mais tarde, ela recebeu sua própria mesa. "Daquele ponto em diante eu soube que tinha uma segunda chance. Aquilo foi o começo, não o fim; e pela primeira vez na vida adulta eu não senti medo".

Achar coragem para ser mãe

Ser mãe algumas vezes significa estar disposta a ser a "vilã" por um bem maior. Acho que grande parte do papel de mãe é uma mistura de concessões e acordos, mas há algumas situações em que ser mãe é a única opção. Se você suspeitar que seu filho está usando drogas ou tomando bebidas alcoólicas, teste-o, envolva-o em pesquisas ou serviços comunitários que ajudem a elevar seu grau de consciência a respeito dos perigos daquilo que ele está fazendo. Caso ele esteja se prejudicando de alguma forma, faça o possível para enfrentá-lo. Embora nossos filhos possam espernear e gritar e até nos detestar momentaneamente, eles acabarão se aproximando do genitor que sentem ser forte o suficiente para protegê-los. Acho que, no fundo, todos os filhos querem ser filhos.

Sempre iremos temer por nossos filhos em tempos ruins, mas o grau de medo diminui à medida que fazemos a próxima coisa certa, uma ação por vez. Quando não perdemos de vista a meta – filhos sadios e independentes –, podemos ver como alguns dos reveses sofridos por nossos filhos poderão, na verdade, fortalecê-los mais tarde. Eles querem que os protejamos, mas às vezes maternidade corajosa significa que precisamos permitir que eles cometam erros.

"Se você embrulhar seus filhos em algodão, eles não irão aprender nada", observa o educador comunitário Raymond Branton. "Acho que um pouco de risco é saudável e faz parte da vida. Lembre-se de que as estatísticas mostram que as crianças estão mais seguras quando estão brincando lá fora. É claro que quando acontece alguma coisa isso é terrível, mas é preciso lembrar quantos milhões de crianças saem para brincar todos os dias e estão perfeitamente bem".

Aceite incertezas e imperfeições

Uma das melhores maneiras para se tornar uma mãe destemida é desistir da ideia de ser perfeita para aceitar incertezas e imperfeições.

Nem todas as decisões que tomamos são óbvias. Kimberly Marteau Emerson, presidente da Comissão do Zoo de Los Angeles, falou a respeito de como ficava amedrontada quando precisava tomar uma decisão a respeito do futuro de Jackie, sua filha de dez anos. Esta havia sido convidada pela Walt Disney Records para participar da gravação de Devo 2.0, uma atualização da banda de new wave Devo dos anos 1980. "Sim, é maravilhoso quando sua filha, que você considera a pessoa mais talentosa do mundo, recebe reconhecimento externo. Mas será que a experiência em Hollywood, que ela estava prestes a viver, iria transformar sua alma inocente em algo irreconhecível, ou ela conseguiria administrar isso? Seria eu capaz de protegê-la desse mundo áspero e implacável? Seria uma mãe ruim por pensar naquilo?"

No fim, Kimberly decidiu permitir que Jackie fizesse a gravação e a série de espetáculos e esta tem sido capaz de lidar com o sucesso com graça e confiança. "A redução da minha 'carga de medo'", contou-me a mãe, "nos deu a ambas muita liberdade para assumir riscos e experimentar a vida".

Temos uma opção quando enfrentamos decisões difíceis: podemos agir com fé ou com medo. A única garantia é esta: se enfatizarmos nossos temores, perderemos para sempre as alegrias do inesperado.

Lori Lenzer, comentarista do site *Huffington Post*, escreveu: "minha resolução como mãe é reconhecer o medo, a culpa e as outras emoções negativas que podem nos assombrar quando contemplamos o incerto e complexo futuro dos nossos amados filhos, mas não posso permitir que esses sentimentos me esmaguem e tirem minha alegria. Se você não conseguir se livrar sozinha das suas culpas, existem muitas coisas que farão isso por você. Experimente rir, ir para casa e dar grandes abraços em seus filhos (se eles ainda deixarem que você o faça!) e também aceite o dia. Nosso tempo aqui é limitado. Aproveite-o ao máximo".

É preciso contar com uma tribo

Quando enfrentamos os infindáveis desafios da maternidade, não há substituto para a formação de uma pequena tribo de parentes e amigos à nossa volta. Quando eu estava crescendo, criar filhos era sempre a tarefa de uma família ampliada que ia muito além dos laços de sangue.

Do momento em que me tornei mãe, em 1989, até a morte de minha mãe, em 2000, ela esteve muito envolvida com a educação de minhas filhas. E minha irmã foi como uma segunda mãe para elas. Infelizmente, hoje a família ampliada é cada vez mais uma curiosidade do Velho Mundo, como carroças puxadas por cavalos e a conversa durante o jantar. Toda vez que surge uma crise sobre cuidar de crianças para discussão, eu me pergunto onde estão as avós e bisavós, onde estão os avôs e bisavôs? Descansando em asilos para idosos? Assistindo novelas? Jogando bingo? Ou espalhados em vários fusos horários, à espera do seu telefonema trimestral ou do cartão de Natal?

Quando, ainda criança, eu me aventurava pelas ruas do meu bairro em Atenas, nunca estava longe de casa, porque aprendera desde cedo que todas as casas estavam abertas para mim e que qualquer mulher do quarteirão seria uma mãe para mim tanto quanto para seu próprio filho – com um curativo, uma torta de espinafre, uma censura ou um abraço. É difícil recriar essa experiência nos EUA de hoje, mas precisamos invocar seu espírito.

Aprendo muito conversando com outras mães. Essas conversas me dão a perspectiva e a força que temos somente quando não estamos sós. Isso se tornou muito importante para mim desde a morte de minha mãe, porque estando na órbita dela era mais difícil me agarrar aos meus temores. Uma das minhas últimas lembranças dela é na mesa da cozinha, tarde da noite, depois de ela ter se certificado de que tudo havia sido bem cuidado ao redor da casa, escrevendo em um bloco de anotações suas respostas para uma seção de perguntas que eu havia começado no *Arianna Online*, um website que existia na época. Ela havia sobrevivido aos nazistas para dar conselhos online – a maior parte a respeito de como viver sem medo – a pessoas do mundo inteiro. E hoje a comunidade online que criamos no site *Huffington Post* é um local onde os pais podem deixar de lado a política e dividir suas experiências.

Acima de tudo, ame incondicionalmente

Os desafios que enfrento criando minhas filhas são muito diferentes daqueles enfrentados por minha mãe quando me criou. O mundo é hoje um lugar muito mais perigoso. Mas algumas grandes verdades nunca mudaram. Não podemos ser mães sozinhas, não tomaremos as decisões certas o tempo todo e não existe dádiva maior que podemos dar aos nossos filhos do que nosso amor incondicional.

As crianças aprendem cedo que o mundo "lá fora" certamente não as ama de forma incondicional. A maioria das pessoas faz essa descoberta no primeiro dia em que é solta sozinha nele, com lancheira nas mãos e medo no coração. Assim, o amor incondicional inicial – que não é retirado quando deixamos de atingir algum padrão de perfeição – é um refúgio seguro do qual podemos extrair força para o resto de nossa vida. Eu certamente fiz isso.

4

Trabalho

Livre para ter sucesso

O TRABALHO TEM SIDO uma parte central da minha vida, assim como é para quase todas as mulheres, inclusive para as que representam grande parte da força de trabalho. Hoje, mais de 70% das mães trabalham fora de casa. Posso nunca ter trabalhado em um escritório ou feito parte de uma estrutura corporativa, mas quando comecei a examinar todos os temores que as mulheres enfrentam no trabalho, descobri que eles não eram diferentes das questões fundamentais que enfrentei em minha própria carreira. Foi para mim um momento de iluminação. Nossos temores relacionados ao trabalho pouco têm a ver com o fato de trabalharmos em um edifício de escritórios de trinta andares ou em nossas próprias casas. Mas eles são intensos e reais e eu os tenho visto refletidos nas vidas profissionais de centenas de mulheres.

Para a maioria delas, o trabalho constitui uma parte fundamental da maneira pela qual se expressam no mundo. Ele provê identidade e também propósito. E, graças ao ativismo de gerações de mulheres (e homens) no século passado, as mulheres invadiram muitos campos tradicionalmente masculinos.

Nossa presença em posições de poder, em conselhos de administração e como cabeças de nossos próprios negócios, continua a crescer. A revista *Fortune* registra que, em 2005, cerca de metade de todas as posições gerenciais e de profissionais liberais nos Estados Unidos estavam ocupadas por mulheres. Nos últimos dez anos, o número de empresas da lista de 500 maiores da revista

Fortune com pelo menos um quarto dos seus conselhos ocupado por mulheres passou de onze para sessenta e quatro. E hoje as mulheres possuem 48% das pequenas empresas.

Estamos na direção certa, mas as mulheres ainda estão longe da paridade, especialmente em remuneração. O pacote de compensação meio vazio está assim: de acordo com a Catalyst, um grupo de pesquisa sem fins lucrativos, as mulheres ainda correspondem a pouco menos de 15% dos membros dos conselhos das empresas da lista de 500 maiores da revista *Fortune*. E nos últimos dez anos, a participação vem crescendo somente 0,5% ao ano. Isso significa que não atingiremos a marca de 50% até 2076 – um belo presente pelo tricentenário da independência para os EUA, mas será que precisa demorar 300 anos?

O ritmo lento de progresso é ruim não só para as mulheres. Numerosos estudos – para não mencionar séculos de experiência na vida real – mostram que as mulheres possuem talentos e qualificações para ter sucesso em qualquer posição. Mas aqui está o ardil (e uma das razões pelas quais tem demorado tanto tempo para que as mulheres abrissem caminho): existe um duplo padrão profissional, de forma que os mesmos comportamentos que ajudam os homens a progredir e mostrar seu valor são desencorajados nas mulheres. Esse duplo padrão cria enormes temores nas mulheres: temos medo de ser demasiado assertivas, de não ser suficientemente boas, e vivemos com uma ansiedade sem limites que levou muitas de nós à obsessão pelo trabalho.

E não é só por que a tenacidade e a decisão em mulheres sejam muitas vezes mal recebidas e consideradas exclusividade dos homens. Também os traços únicos que as mulheres trazem para o trabalho são negligenciados ou ignorados como não sendo valiosos no contexto de negócios.

Mas a discriminação sexual institucionalizada e a tradição são somente uma parte da história. A outra parte é o papel desempenhado por nossos temores e como eles nos impedem de atingir o sucesso profissional ou de ter prazer com nossas realizações.

Medo de ser ambiciosa e assertiva

Além das ansiedades de cargo e carreira que todos enfrentam, as mulheres têm temores específicos que se centram no paradoxo de manter relacionamentos e de permanecer "femininas", fazendo mesmo assim um bom trabalho. Esses são os medos da ambição e da assertividade.

De acordo com a psiquiatra Anna Fels, "em cada momento histórico em que mulheres conseguiram acesso à influência social e reconhecimento – direitos legais e políticos, oportunidades educacionais, opções de carreira – sua capacidade de serem 'mulheres de verdade' foi impugnada". Fels também observa a barragem de artigos de revistas e notícias alarmantes, indicando que a mulher precisa escolher entre ser uma profissional e ser uma boa esposa e/ou mãe.

A incorporação desse medo começa cedo. As garotas iniciam a vida com tanta ambição quanto os garotos, mas lentamente perdem entusiasmo na adolescência, quando a consciência a respeito dos papéis dos sexuais começa a se infiltrar. O resultado é que as mulheres recebem a mensagem clara que a ambição não é feminina. Mesmo quando as mulheres conseguem continuar sonhando grande, ainda existe uma diferença entre a maneira pela qual nossos sucessos e os sucessos dos homens são recebidos. Quando somos bem-sucedidas, temos maior probabilidade que os homens de ficar pouco à vontade com o reconhecimento público do nosso sucesso. Recusamos elogios e qualquer progresso que venha com eles.

De fato, quando Fels começou a pesquisar o papel da ambição nas vidas das mulheres, constatou que as que entrevistava detestavam a palavra *ambição*: "para elas, 'ambição' significava necessariamente egoísmo, auto-engrandecimento ou o uso manipulativo de outras pessoas para fins próprios. Nenhuma delas admitiu ser ambiciosa. Em vez disso, o refrão constante era 'não sou eu, é o trabalho'.. Aquelas mulheres realizadas sentiam algum tipo de medo".

De acordo com Fels, "o problema subjacente está ligado aos ideais culturais de feminilidade. As mulheres enfrentam a realidade de que, para que pareçam femininas, devem prover recursos escassos a outras pessoas, ou abrir mão deles – e o reconhecimento é um recurso escasso. Embora tenham hoje mais oportunidades do que nunca, as mulheres ainda passam por um escrutínio social que torna escolhas difíceis – como, quando e se iniciar ou não uma família ou progredir no trabalho – ainda escolhas mais difíceis".

O conceito de feminilidade também interfere na capacidade da mulher de ser assertiva. Queremos tanto ser apreciadas que nos preocupamos a respeito da possibilidade de alienar pessoas; assim, muitas vezes tentamos obter o que queremos nos bastidores, tendo o cuidado de evitar que pareçamos manipulativas e pouco sinceras. É agradável ser agradável, mas isso pode ser extremamente exaustivo quando cala nossa voz, nos detém e prejudica nossa autenticidade.

O medo de esticar o pescoço para fora por não sabermos como seremos interpretadas muitas vezes faz com que sabotemos nossas carreiras. E as conseqüências de nos reprimirmos não são apenas financeiras. Por exemplo, Gail Evans, que conseguiu ascender de agente de talk shows a vice-presidente executiva da rede CNN, tornando-se, na ocasião, a mulher de nível mais elevado em jornalismo televisivo, disse que depois que chegou ao topo na sua área, ainda tinha medo de falar em voz alta em reuniões. Em vez disso, permitia que outras pessoas recebessem crédito pelas suas ideias. "Você poderia pensar, com o poder que tenho", disse ela em 2000, "que eu poderia ficar à vontade dizendo qualquer coisa... mas ainda me reprimo, estou constantemente me censurando. E é sempre um homem que chega na sua frente".

Karen Salmansohn, autora do livro *Como ter sucesso nos negócios sem um pênis*, obervou que os homens costumam ser guerreiros e as mulheres, preocupadas". As mulheres, disse ela, "gostam de ser apreciadas. Isso começa muito cedo na vida. Fizeram estudos com garotinhas e garotinhos e ter muitas amiguinhas à nossa volta é muito importante para nós. Isso não passa quando crescemos. Os rapazes sabem que em negócios, os bons sujeitos chegam em último lugar; as garotas não sabem se quem chega em último são as boas meninas ou as meninas agressivas".

Assim, a opção que muitas mulheres veem no local de trabalho é ser agradável e discreta e esperar que alguém a descubra e lhe dê uma promoção, ou ser assertiva e ser rotulada de controladora e agressiva e esperar progredir antes de ser tornar excessivamente detestada. Como sabe a maioria das mulheres, não é preciso muito tempo para ser rotulada de controladora e agressiva.

Quem é responsável por essa duplicidade de padrões – homens ou mulheres? Independentemente de como isso começou, hoje a resposta correta é ambos. Ideais culturais de feminilidade profundamente arraigados tornam muito mais difícil para as mulheres reconhecer sem medo suas ambições e persegui-las sem se desculparem. Pagamos o preço em oportunidades, realização, sucesso e satisfação.

Medo de fracasso e sucesso

Lado a lado com nossos temores de ambição e assertividade, encontramos nosso medo do fracasso. É claro que ninguém gosta de fracassar, mas em muitas mulheres o medo do fracasso se traduz em assumir menos riscos e não perseguir os próprios sonhos. E o medo de não corresponder a um ideal mítico de perfeição muitas vezes significa que muitas mulheres não dão andamento a um projeto ou ideia até que estejam 110% seguras de que ele é perfeito, isento de erros e inatacável, o que quase sempre significa nunca ir em frente ou não se mover com a velocidade possível.

"Sempre que consigo um novo trabalho", disse Willow Bay, que foi âncora de jornalismo para a CNN, entre outras emissoras, "temo não ser capaz de fazê-lo. Trata-se de uma reação automática. Por algum tempo pensei que todos se sentiam assim diante de um novo desafio profissional. Porém, meu marido desfez essa noção confortadora. Ele nunca tem esse tipo de medo e abraça avidamente novos desafios profissionais sem nunca questionar sua capacidade para superá-los. Ele mergulha direto neles, ao passo que eu sou mais do tipo que põe a ponta do pé na água antes de entrar na piscina".

Muitas vezes, o medo do fracasso vem junto com o medo do sucesso – a ideia de que, se formos longe demais, perderemos nossa conexão com a família e os amigos, com aquilo que é "real", e que os homens serão intimidados por nós, tornando ainda mais difícil sustentar um relacionamento. Esse medo está relacionado ao nosso medo da assertividade. Mas enquanto esse medo afetar nosso *comportamento* no trabalho, o medo do sucesso afeta nossos *sonhos* de realização.

Desencorajamento e medo de rejeição

Outro temor que divido com a maioria das mulheres que trabalham nasce da tendência de levar críticas para o plano pessoal. No meu trabalho, esse temor se manifestou no recebimento de correções editoriais. Quando comecei a escrever, com vinte e poucos anos, cada marca vermelha e palavra mudada era uma rejeição pessoal. As sessões editoriais se tornaram campos de batalha. "Eu curo seus ferimentos e você continua cortando as veias", disse-me Fred Hills, meu editor para *Maria Callas*.

A experiência editorial mais aterrorizante que tive foi quando minha coluna bissemanal começou a ser publicada no jornal *Los Angeles Times*. O editor da página de editoriais era Bob Berger. Quando entrei na sua sala pela primeira vez, ele me saudou com sua voz rouca: "você não é como eu pensava que fosse". "Como você pensava que eu fosse?" perguntei. "Eu pensava que você fosse como Melina Mercouri no filme *Topkapi*".

Como nem mesmo em meus melhores dias eu não sou nenhuma Melina Mercouri, meu relacionamento com meu novo editor começou acidentado. Sem paciência para conversa fiada, ele sempre atendia ao telefone com uma declaração simples – "Bob!" – uma saudação à qual eu tinha dificuldade para responder, uma vez que nunca fui capaz de dizer "Arianna!". Eu invariavelmente acabava sentindo que qualquer pergunta que eu precisasse fazer era trivial em comparação às grandes questões que ele estaria cuidando no momento. Cheguei ao ponto de ligar quando sabia que ele estava almoçando, para que eu não tivesse que lidar com todos os temores infantis que ele evocava em mim. Porém, até isso falhava em nove em cada dez vezes, porque Bob, sendo quem era, raramente passava mais de dez minutos almoçando.

Um dia, estávamos conversando a respeito de nossos filhos e em algum ponto, entre ele falar do seu filho Luke e eu falar sobre minha filha Isabella, eu me conectei com ele em um nível completamente diferente e parei de levar suas críticas para o lado pessoal. Descobri que Bob tinha um exterior rabugento, mas recheio de marshmallow.

Cheguei ao ponto em que recebia bem o fato de suas críticas serem feitas de forma brusca, sem rodeios: "excesso de patinhos de borracha no primeiro parágrafo", dizia ele. Então eu reescrevia e simplificava o texto. A máxima orientação de Bob era simples: vá direto ao ponto.

Meu relacionamento com Bob ajudou-me a reformular todo o processo de edição, para não pensar nele como crítica pessoal, mas, sim, como ele é realmente: uma oportunidade para melhorar. E agora eu simplesmente adoro ser editada! De fato, saber que haverá alguém para me apanhar quando vou longe demais tem me ajudado a assumir mais riscos como escritora.

Os riscos do vício pelo trabalho (workaholism)

O medo cria insegurança. E a insegurança cria outro subproduto oneroso: o workaholism. Quando estamos com medo de falhar, quando sentimos que temos de nos provar constantemente, damos prioridade aos nossos empregos acima de tudo e todos. Isso esgota nossa saúde e nossa energia e nos mantém num estado de constante tensão.

Quando somos vítimas do workaholism, sacrificamos o importante no altar do urgente. Nossas vidas perdem seu equilíbrio e perdemos nosso centro. Com frequência, o problema se origina de uma forte – e errônea – redefinição de urgente. Não se trata mais de se preocupar a respeito de como iremos lidar com um incêndio, mas, sim, do medo constante de que um incêndio pode começar.

Parte desse medo provém de um mesmo lugar. Como mulheres, sabemos – intuitivamente e por experiência – que ainda não "pertencemos" aos clubes masculinos que florescem no trabalho. Também sabemos que não podemos jogar o jogo da mesma maneira que os homens, sob pena de pagar outro tipo de preço. Assim, o que nos resta? Nosso próprio esforço. É a única coisa pela qual somos regularmente aplaudidas ou reconhecidas (mesmo que isso nos deixe pouco à vontade). O trabalho duro nos ajuda a nos encaixar e ganhar uma medida de segurança. E como o trabalho duro funciona de fato, trabalhamos cada vez mais até não podermos parar.

O workaholism nos rouba muitas coisas. Para trabalhar mais horas, sacrificamos tempo com nossas famílias, nossos amigos e nós mesmas. Perdemos perspectiva a respeito do que é realmente importante para nós e o que é, no final das contas, de valor duradouro.

Além de nos privar de muita vida e aventura, o workaholism também nos priva de sono. De fato, quase um terço dos adultos que trabalha declara ter perdido hora ou cometido erros no trabalho devido à privação de sono. O custo, para as empresas, de acidentes e da queda de produtividade devido à privação de sono, está estimado em bilhões de dólares anuais.

O trabalho sempre se beneficia de novas ideias e novos ângulos, mas imaginação e originalidade são as primeiras baixas da privação do sono.

Thomas Jefferson, Winston Churchill e Ronald Reagan eram conhecidos dorminhocos. Os aspirantes à liderança deveriam ler suas histórias. De acordo com Churchill, acreditar que dormir torna a pessoa menos produtiva "é uma noção tola de pessoas que não têm imaginação".

E Bill Clinton, que talvez seja mais identificado do qualquer outra pessoa no planeta com infatigabilidade e falta de necessidade de dormir, foi ainda mais longe. "Todos os erros importantes que cometi na vida", disse ele, "eu cometi porque estava cansado demais".

Medo de assertividade, medo do fracasso e workaholism conspiram entre si para criar um círculo vicioso. Não temos as mesmas oportunidades que os homens, ficamos nervosas a respeito de quais oportunidades temos e tememos o fracasso; assim, criamos situações que o tornam inevitável, tememos o sucesso e, então, não assumimos riscos ou sabotamos a nós mesmas, interpretamos mal as críticas e acabamos estressadas, raivosas e temerosas. Deve haver um jeito melhor!

Tornar-se destemida no trabalho

O destemor nos dá perspectiva sobre o papel do trabalho em nossas vidas e irá nos ajudar a finalmente abalar os limites em relação ao nosso avanço profissional. Mas precisamos conquistar o local de trabalho como mulheres, à nossa própria maneira, não como cópia dos homens – máquinas que carregam maletas, usam alfinete de gravata e por acaso têm vaginas.

Maria Otero é CEO da Accion International, uma organização sem fins lucrativos que ajuda a financiar empresas para mulheres no mundo em desenvolvimento. "Ser mulher me faz uma gerente melhor", disse ela. "De certa maneira, ser capaz de desenvolver um estilo gerencial de liderança, baseado na formação de uma equipe, está alinhado com a maneira pela qual interajo com minhas irmãs ou com outras mulheres. Estamos todas juntas nisso".

Quando Patrícia Russo, CEO da Lucent Tecnologies, teve seu perfil publicado no *Star-Ledger* no mesmo dia em que foi anunciado que a Lucent estava fazendo uma fusão com a Alcatel, a gigante das telecomunicações, a linha de abertura da matéria dizia: "Patrícia Russo, a segunda mais velha de sete irmãos, aprendeu cedo como estimular outras pessoas". Você pode imaginar um perfil de Jack Welch, Warren Buffett ou Herb Allen começando com ênfase em suas qualidades para estimular alguém? Contudo, foi estimulando sua equipe que Russo se tornou uma das sete únicas CEOs de empresas da lista de 500 maiores da revista *Fortune*.

Maria Rodale, vice-presidente do conselho da Rodale, a editora de revistas e livros sobre saúde, precisou superar muitos temores quando herdou a empresa de seu pai: "quando eu tinha vinte e oito anos, meu pai morreu em um acidente de carro em Moscou. Trabalhei realmente duro para provar para a gerência da empresa na época – e para minha família – que estava à altura da responsabilidade que meu pai havia me deixado. Mas o trabalho nunca era suficiente. Precisamos fazer mudanças ousadas para acabar com o endividamento da Rodale e recuperar a confiança dos nossos clientes. Mas teria eu coragem para fazê-las? Elas incluíam pedir a funcionários antigos que deixassem a empresa. Muitas pessoas acharam que eu, como mulher, não teria coragem para realizar mudanças tão radicais. Mas eu tive – e trouxe para ocupar o cargo de CEO Steve Murphy, que tornou a empresa novamente lucrativa".

Quando finalmente deixou de lado a necessidade feminina de agradar e se concentrou na tarefa que tinha em mãos, Rodale reinventou a si mesma e à empresa, que desde então tem sido reconhecida com prêmios que nunca havia recebido antes e tem produzido *bestsellers* como *A dieta de South Beach*. "Tomar decisões de negócios arriscadas", disse ela, "ainda não é fácil, mas eu vou em frente. Esse é meu trabalho e eu gosto dele".

Faça a ousadia trabalhar para você

Uma forma de superar os temores de ser ambiciosa e assertiva é aprender a jogar o "jogo" dos homens no trabalho, mas adaptando-o ao nosso próprio estilo. Aceitar o crédito por nosso trabalho e nossas realizações e negociar sem medo pela compensação pode ser interpretado como uma atitude ambiciosa e agressiva.

Precisamos desistir da ideia de que devemos ser doces o tempo todo para sermos "mulheres de verdade". Se minha mãe tivesse se preocupado a respeito de ser polida quando os nazistas a cercaram nas montanhas gregas, ela e as garotas judias que ela estava ocultando teriam sido mortas. Ela fez o que seu eu destemido sabia que ela deveria fazer.

Podemos, porém, ser assertivas sem sacrificar o charme e o humor. O humor em especial pode ser muito eficaz para amenizar o fato de ser assertiva. Podemos ser muito mais desafiantes se não nos levarmos demasiado a sério.

Aprendi pessoalmente o poder do humor com Al Franken, em 1996, na Convenção Nacional Democrata em Chicago; durante a Convenção Nacional Republicana, em San Diego, e na noite da eleição em Nova York. Al e eu discutíamos a respeito de política numa cama especialmente construída no meio do público. A propósito, aquela foi a primeira e última vez na minha vida em que consegui uma dedução de imposto por lingerie. De repente, as pessoas – em especial os jovens – que normalmente não perderiam um momento com política passaram a se interessar, apenas por verem um diálogo político com uma nova embalagem, com humor e sátira. Foi uma lição que guardei e tenho aplicado regularmente em palestras, aparições na TV e nas interações de trabalho no dia-a-dia.

Conectar-se com as pessoas no nível pessoal também é importante. Mesmo a respeito daquelas com quem interagimos somente no trabalho, é importante lembrar que suas vidas – suas alegrias e seus problemas – consistem de muito mais do que o trabalho. E quanto mais à vontade estivermos conosco – com nossas próprias emoções – mais aptos estaremos para estender a mão para os outros de forma pessoal.

Tudo se resume naquilo que os franceses chamam de "*être bien dans sa peau*" – sentir-se bem na sua própria pele. Isso é tão importante no trabalho como no quarto de dormir.

Adena Berkman Conway, fundadora da Berkman Fives, firma de desenvolvimento de carreiras em Nova York, que atende mulheres, fez a seguinte observação: "se você trabalhar só com homens, poderá achar que precisa ser mais assertiva para ser eficaz, mas é possível que você não seja assim. Em geral, nosso conselho é que você deve incorporar partes suas que pareçam com você; encontre maneiras seguras para mostrar que elas também funcionam, mantendo ao mesmo tempo as qualificações que são eficazes para você obter aquilo de que necessita".

Obviamente, a rainha do "seja quem você é" concorda. "Não há como progredir no mundo", diz a apresentadora e empresária Oprah Winfrey, a primeira mulher negra bilionária do mundo, "a menos que você saiba plenamente quem é. Você não pode se mover, falar, agir de forma livre e ser livre a menos que esteja à vontade consigo mesma".

Obtenha perspectiva

Ter perspectiva sobre o que é importante em nossa vida é outra parte essencial para explorar a ousadia que nos permite satisfazer nossos sonhos. Depois de duas décadas dirigindo uma firma de design gráfico, Denise Houseberg pôs o pescoço para fora para iniciar uma empresa de marketing na Internet, denominada MarketExpo.com, mas descobriu seis meses depois que estava com câncer no seio. "Nunca houve um momento mais importante para ter um projeto no qual depositar toda a minha angústia", disse ela. "O câncer no seio foi o catalisador que removeu o medo de toda uma vida. Quando você olha de frente sua própria morte e sobrevive, fica um tanto destemida a respeito de assuntos de negócios. Fui a grandes bancos e disse: 'hei, preciso de uma linha de crédito de 125 mil dólares e não quero pagar muito por ela imediatamente'. A maior parte dos bancos zombou de mim, mas quando cheguei ao JP Morgan Chase, um gerente me disse: 'enviaremos alguém com os papéis para você assinar'. Antes da minha doença, eu teria feito como a maioria das mulheres, que dizem: 'qual é o problema de usar meu próprio dinheiro e construir as coisas devagar?'".

Enfrentar uma doença potencialmente mortal é uma maneira infeliz para aprender a lição de que não faz mal ser ousada e assertiva. Outra maneira é entrar em um novo e grande empreendimento público. Há alguns anos, a ativista ambiental Laurie David e eu – em conjunto com o produtor de filmes Lawrence Bender, o autor-diretor Scott Burns e o agente de talentos Ari Emanuel – lançamos o Projeto Detroit e uma série de comerciais criados para fazer com que as pessoas descubram a ligação entre o vício por utilitários esportivos bebedores de gasolina e o petróleo produzido no exterior, e como esse dinheiro estava sendo usado para financiar o terrorismo. "Para mim, a experiência mais assustadora", lembra Laurie, "foi ir para a cama uma noite depois que nossa campanha foi lançada e sintonizar acidentalmente o rádio numa estação direitista e ouvir o apresentador gritando: 'quem é esta Laurie David? Quem ela pensa que é para nos dizer o que dirigir?'. Ele estava acabando conosco com horrendos ataques pessoais. Eu me lembro de tremer, apenas tremer".

Na manhã seguinte, Laurie e eu fomos fazer uma caminhada. Ela estava realmente irritada e com medo. Uma semana depois, ela recebeu um telefonema de Bobby Kennedy, o apaixonado ativista ambiental. Ele disse que os anúncios o deixaram surpreso. "Sabe Laurie", disse ele, "você não pode mudar o mundo e não receber críticas de pessoas que não querem mudar o mundo".

"Naquele momento", disse ela, "percebi que, para ter impacto sobre as questões que me interessavam profundamente, teria que aceitar as críticas e não permitir que elas me paralisassem".

Superar o medo do fracasso

Não permitir que nossos temores nos paralisem é vital em qualquer novo emprego ou empreendimento, em especial quando existe a possibilidade de crítica ou humilhação pública. Precisamos ponderar o custo psíquico de não tentar, contra a possibilidade de não termos sucesso e sermos embaraçadas por nossos esforços. O primeiro cria arrependimento, o segundo algumas horas – ou talvez dias – lambendo nossos ferimentos.

Se você quer um grande sucesso, precisa simplesmente se arriscar. Foi assim que Melody Hobson, presidente da Ariel Capital Management, uma firma multibilionária de gerenciamento de ativos sediada em Chicago, ajudou a construir a empresa. Ela contou-me como conseguiu conquistar um grande cliente: "eu estava tentando convencer o encarregado de pensões da United Airlines. 'Por que deveria eu contratar sua empresa?' perguntou ele. 'Se eu pudesse', respondi, 'eu pularia na mesa, agarraria você pela gola do paletó e lhe diria: 'esta é a melhor decisão que você jamais irá tomar'. Consegui a conta. Ele brincou que ninguém jamais havia colocado a questão naqueles termos".

Uma mulher que se tornou um símbolo de destemor nos negócios nos anos 1990 foi Murphy Brown. Está bem, ela é uma personagem de ficção, mas havia um motivo para o sucesso do seriado. Ela era uma mulher solteira dedicada à sua carreira, que dizia o que pensava e pensava o que dizia.

É claro que Diane English, a criadora da personagem, e Candice Bergen, que deu vida à personagem de forma tão brilhante, são ambas bons exemplos de superação de temores. Quando Diane English propôs Candice Bergen para o papel, a CBS e a Warner Brothers disseram não de forma categórica. Bergen era considerada "demasiado elegante". Mas English estava absolutamente convencida de que tinha de ser Bergen e sua convicção tornou-a destemida. Ela entrou na sala do presidente da CBS e, nas palavras dela, "fechou a porta e recusei-me a sair até que ele dissesse sim".

"Diane me empurrou pela garganta deles abaixo", lembra Candice Bergen. "Então entrei em pânico porque, embora soubesse por instinto que seria capaz de desempenhar o papel, eu não trabalhava desde que tivera minha filha. Eu realmente não estava segura de conseguir e estava muito assustada". Mas ela não permitiu que os temores a detivessem e, como todos sabem, transformou-se em ícone cultural e venceu cinco prêmios Emmy.

A detetive Olívia Benson, do seriado *Lei e Ordem: unidade de vítimas especiais*, é outro modelo de destemor para as mulheres – inclusive adolescentes como minha filha Christina.

"Quando consegui a personagem", contou Mariska Hargitay, "recebi a dádiva de representar alguém que era diferente de mim. O destemor de Olívia a define. Ela analisa uma situação, sente medo e então faz o que tem de fazer. As jovens realmente reagem a isso. Elas sentem sua própria força nela. As mulheres sempre me dizem: 'Oh, gostaria de ser como Olívia', e eu digo: 'vocês são, porque se não tivessem essa mesma força dentro de vocês, não a reconheceriam nela, não se identificariam com ela'. A personagem tem me ensinado muito. Quando estou representando uma cena e lá estou com minha arma engatilhada, com a vida de alguém em risco, sinto a importância de superar o medo. Assim, tenho procurado aplicar esse princípio à minha vida, quer a meta seja um relacionamento, falar em público ou superar um limite pessoal – ou ser mãe! Em vez de focalizar meu medo, eu foco a meta, o prêmio à espera no fim da corrida. Acho que a vida compensa muito se você a vive dessa maneira".

E quando há um grande e novo desafio a enfrentar, sempre podemos improvisar maneira para dominar nossos temores. É claro que em qualquer ponto podemos nos sentir desanimadas, rejeitadas e duvidar de nós mesmas. Nessas ocasiões, precisamos apenas nos manter ligadas – e muitas vezes os obstáculos se transformam em degraus e nossos temores são dispersados.

A arte da negociação

Algumas mulheres tentam conseguir o que querem através do workaholism, mas existe outra maneira: a negociação. A arte de pedir por aquilo que se quer é vital para o destemor no trabalho.

Toda negociação bem-sucedida começa com ser absolutamente clara a respeito do que você quer. Muitas mulheres tremem diante da ideia de negociar, porque pensam que isso significa falar alto, ser agressiva e controladora. Na verdade, a essência da negociação é chegar a um acordo que não sacrifique aquilo que é essencial para você, permitindo ao mesmo tempo que a outra parte faça o mesmo. É uma coisa para a qual as mulheres estão brilhantemente qualificadas.

Vera Rubin é astrônoma e fez importantes descobertas a respeito do fenômeno da matéria escura e de como as galáxias se movem. Ela conseguiu negociar para si uma importante carreira científica e também tempo para estar em casa com os filhos: "eu queria ir para casa às 15h todos os dias", diz ela, "assim me ofereceram dois terços do salário que eu estava recebendo. Nunca tinha havido uma mulher na equipe. Dez anos depois pedi para ser paga pelo período integral e concordaram. Então eu disse: 'mas continuarei saindo às 15h'".

Vera conseguiu negociar porque estava segura do seu valor para o instituto. Mas muitas mulheres não se sentem seguras negociando – isso nos deixa inseguras. Observe um homem negociar – eles se sentem quatro vezes mais à vontade do que as mulheres negociando um salário inicial – e há um aspecto da arte de jogar envolvido. De fato, os homens comparam o ato de negociar com "vencer uma partida de futebol", ao passo que as mulheres dizem algo como que o processo se assemelhava a "ir ao dentista". Mas o que de pior pode acontecer? Recebemos um não como resposta e não ficamos pior do que antes. Olhe à sua volta e você verá muitas evidências de que pedir aquilo que desejamos resulta não na realização dos nossos piores temores, mas na obtenção daquilo que desejamos.

Romi Lassaly, editora de estilo de vida do site *Huffington Post*, aprendeu isso quando era presidente de uma produtora de filmes e, de acordo com seu contrato, tinha direito a um bônus por um de seus filmes. "Embora tivesse os termos do meu acordo por escrito", contou ela, "eu estava nervosa quando me sentei na sala do meu chefe e pedi o bônus. 'Você acha realmente que merece um bônus por este filme?' perguntou ele. 'Você tem um salário muito bom... Ele já não deveria cobrir o trabalho que você faz aqui?'.

"Fiquei chocada pela sua observação. Mas também fiquei surpresa pela minha reação a ela. Ele certamente havia provocado uma grande dose de indignação em mim, mas também havia tocado em minhas inseguranças mais profundas de que eu não era merecedora e que, com ou sem contrato, talvez eu não merecesse aquele pagamento extra. Senti-me como uma garotinha assustada e fui subjugada pelo sentimento de que havia ultrapassado meus limites. Nunca recebi aquele bônus, mas minha história tem um final feliz. Quando chegou o momento de eu deixar aquela empresa, fizemos um acordo pelo qual eu receberia bônus caso dois dos meus filmes chegassem a ser feitos. Eles foram e, embora tenham sido necessários muitos anos e muitos documentos jurídicos, recebi os bônus relativos a ambos os filmes".

Faça do medo seu aliado

Como em outras áreas da vida, ser destemida no trabalho não significa eliminar o medo, mas simplesmente reconhecê-lo, torná-lo seu aliado e não permitir que ele a detenha.

A atriz Christine Lahti, que também é diretora (um campo muito dominado por homens), contou-me: "quase todas as vezes que aceito um novo papel (ou um novo filme para dirigir), sinto medo. Embora em alguns casos ele possa me fazer querer vomitar, desejo esse medo; ele significa que estou me desafiando e sinto que pode ser uma energia positiva e estimulante. Digo aos meus filhos que procurem sempre seguir na direção daquilo que temem (exceto quando é fisicamente perigoso). Numa peça ou num filme, eu uso meu medo ou nervosismo em quase todas as cenas em que atuo. Como normalmente todas as cenas envolvem algumas apostas altas, a personagem quase sempre está nervosa ou amedrontada. Na verdade, dependo do medo em meu trabalho para me ajudar a manter elevado o interesse na cena. Acho que o medo é uma coisa natural e pode de fato intensificar a vida em vez de diminuí-la, desde que a pessoa possa reconhecê-lo, aceitá-lo e usá-lo. Pode ser muito estimulante desafiar a si mesma dessa maneira".

Foi muito importante para mim aprender a reconhecer quando, especialmente no trabalho, sou afetada pelos temores de outra pessoa. Isso porque o medo não só é comum em locais de trabalho competitivos, mas também é contagioso. Assim, a boa notícia é que a confiança também é contagiosa e as pessoas que expressam destemor produzem confiança em outras.

As recompensas de ser destemida no trabalho

Ser destemida no trabalho significa encontrar um senso de autodeterminação, realização, satisfação e propósito que nos ajuda a viver melhor. Além disso, sendo líderes no trabalho – assumindo riscos e fazendo coisas de novas maneiras – podemos mostrar aos outros não só como se superarem, mas também como transformar o significado de trabalhar.

Pattie Sellers, editora da revista *Fortune*, que falou com centenas de mulheres em altas posições para preparar a lista anual "As mais poderosas mulheres de negócios", descreveu como viu mulheres poderosas reformulando o propósito e o significado de trabalho: "os homens tendem a olhar o poder verticalmente – o objetivo é atingir a posição maior, o próximo degrau da escada. Isso é de certa forma um estereótipo, mas as pesquisas e todas as minhas entrevistas com mulheres e homens poderosos ao longo da última década sugerem que os homens se desviam muito menos dessa visão vertical do que as mulheres, que veem o sucesso de forma mais horizontal, com uma visão periférica muito mais ampla. Para mulheres em posições de liderança como Andréa Jung, CEO da Avon, e Oprah Winfrey, poder é um cenário amplo de influência. (Jung disse que define poder como 'o privilégio de influenciar'. Oprah disse que poder é 'a capacidade de impactar com propósito'.) Em geral, essas mulheres não se satisfazem simplesmente ascendendo à posição maior".

Um elemento comum às mulheres destemidas é o senso de usar o poder em benefício de outras pessoas e de sempre acreditar que há mais – mais desafios a enfrentar, mais riscos a assumir, mais fracassos a superar, mais influência a exercer, mais sucesso com que se alegrar, mais árvores para plantar.

5

Não tenha medo do dinheiro

O segredo da abundância

MULHERES, DINHEIRO e trabalho – esse sim é um relacionamento triangulado. O dinheiro, é claro, está inextricavelmente ligado ao trabalho. É aquilo que recebemos em troca do nosso esforço, é como pagamos nossas contas, é para ganhá-lo que dedicamos uma enorme parcela de nossa vida. E isso é verdade para homens e mulheres. Mas para as mulheres há uma distorção adicional: como ganhar aquilo que merecemos neste mundo que ainda nos paga 78% daquilo que paga a um homem? A resposta: destemor.

Mas é difícil ser destemida a respeito de algo tão elementar – tão ligado à sobrevivência. E mesmo que tenhamos uma renda adequada, a "consciência de pobreza" – o temor de, independentemente do que ganhamos, nunca ser suficiente – pode nos encher de terror. Algumas das mulheres mais ricas que conheço ainda são movidas pelo medo de acabarem na mendicância.

Em alguns casos, a consciência de pobreza se torna uma motivação. Melody Hobson tem uma notável história de sucesso: aos trinta e sete anos, é uma das mulheres afro-americanas mais ricas e influentes. "Sempre serei grata por aquilo que recebi", disse-me ela. Mas uma vida doméstica tumultuada e financeiramente instável instigou nela o medo de ficar sem dinheiro, um medo que foi, ao mesmo tempo, um motivador positivo e uma fonte de constante ansiedade.

"Eu não tinha senso de segurança", disse ela, "e desde criança estava sempre preocupada a respeito de dinheiro. Então resolvi que teria de lutar. Cheguei a assumir um compromisso comigo mesma: 'serei rica! Não posso viver assim'". Para Mellody, o dinheiro representava liberdade – e opções. Mas mesmo hoje ela se pergunta: "e se eu cometer um erro e perder tudo? Qual é a quantia que me deixaria à vontade? E meu número sempre é mais alto do que o de minhas amigas'". Quando podia, ela chegava a pagar adiantado as contas do telefone e da hipoteca de sua casa. "Assim, se tudo desse errado, pelo menos eu teria um telefone e um lugar para morar". Os temores a respeito de dinheiro podem ser tão fortes e irracionais que até mesmo Mellody, com seu sucesso financeiro, não consegue se livrar deles.

Buscamos a riqueza na esperança de que ela possa eliminar o medo, mas às vezes a aquisição incansável de dinheiro é simplesmente uma manifestação de outros temores. As pessoas têm necessidades emocionais que procuram satisfazer com dinheiro.

O que o dinheiro representa

Assim, o dinheiro não é apenas dinheiro – também é um substituto para nossos temores. Tememos nunca ter os recursos para viver bem, criar bem nossos filhos e nos sentirmos seguras. Para ambos os sexos, o dinheiro simboliza muito em nossa cultura e em nossas vidas. Nós o usamos para medir nossas realizações, como um barômetro do nosso sucesso. Podemos não gostar de pensar a respeito de classe, mas ainda usamos o dinheiro para determinar todos os tipos de hierarquias, seja no conselho de administração, seja no estacionamento da escola de nossos filhos.

É claro que comparações compulsivas, bem como gastos compulsivos e o acúmulo compulsivo de dinheiro podem ser sintomas da mesma coisa: um vazio em outras partes de nossas vidas, que procuramos preencher com aquilo que o dinheiro pode comprar. Quando isso acontece, nenhum volume de gastos, de acumulação ou de ascensão numa hierarquia mítica poderá resolver os problemas subjacentes. Na colocação de Mellody Hobson, as mulheres devem fazer o melhor possível para administrar suas finanças, mas também devem se lembrar de que "a angústia não será aplacada pelo tamanho do seu saldo bancário".

Os temores ligados ao dinheiro são universais, mas também é verdade que as mulheres se relacionam com ele de forma diferente da dos homens. "Dinheiro representa amor, poder, segurança, controle, autoestima, independência", diz a psicoterapeuta Olívia Mellan. "Se o dinheiro fosse apenas dinheiro, todos tomariam decisões racionais a seu respeito". Sabemos que as mulheres nem sempre fazem isso. Mas por quê? Uma razão é que elas foram criadas para pensar no dinheiro em termos de segurança – e não apenas financeira. Mesmo hoje, um número surpreendente delas ainda pensa que é tarefa dos homens ganhar dinheiro e entender a seu respeito. Muitas vezes elas delegam essa responsabilidade e nada aprendem a respeito de dinheiro – e assim o temem.

É por aqui que devemos começar. Nunca poderemos perder o medo do dinheiro até desmistificá-lo e cuidar dele.

Assumir os cordões da bolsa

Os fatos são os seguintes: as mulheres ganham menos dinheiro do que os homens, poupam menos para a aposentadoria e usualmente vivem mais que seus maridos – caso os tenham. As mulheres representam a maioria dos idosos pobres.

Os homens são condicionados desde cedo a ir atrás daquilo que querem. Eles não só são premiados por conseguirem o que pedem, mas também, num sentido mais amplo, por chegarem a pedir. Com as mulheres é diferente. Nós nos sentimos culpadas quando pedimos – ou, Deus nos livre, exigimos – aquilo a que achamos ter direito. Como diz Gália Gichon, conselheira financeira e proprietária da empresa Down-to-Earth, "nós deixamos que outros digam quanto valemos em vez de afirmar, de forma direta e confiante, quanto achamos que merecemos". Fazer exigências não é considerado elegante.

A dinâmica por trás desse comportamento nem mesmo está estritamente ligada ao dinheiro – é apenas mais uma manifestação de medo. "As pessoas com quem trabalhei que assumiram o controle de seu dinheiro", disse Gichon, "viram resultados em outros aspectos de suas vidas. Carreira, vida pessoal – não há dúvida a esse respeito, todos eles trabalham juntos".

Já fui rica e fui pobre; assim, vi isso na minha própria vida. Sei o que o dinheiro é e não é, o que ele pode e não pode fazer. Precisamos colocá-lo na devida perspectiva em nossas vidas, deixar de evitá-lo, aprender a seu respeito e deixar de torná-lo mais importante do que é.

Por amor ou por dinheiro (união e separação)

A dependência financeira é uma das razões que mantém as mulheres em um casamento infeliz. Como muitas não trabalham fora, elas têm poucas opções. E os maridos se aproveitam disso para manter o controle.

Vi uma dinâmica semelhante no relacionamento da minha mãe com meu pai, embora ela, com seu destemor inato, não tivesse permitido que preocupações de ordem financeira a impedissem de deixá-lo quando eu tinha onze anos. Para meu pai, assim como para muitos gregos da sua geração, não havia nada de errado com casos extraconjugais. "Não quero que você interfira na minha vida privada", lembro de tê-lo ouvido dizer à minha mãe quando ela reclamou. O casamento dele fazia parte da sua vida pública, seus casos da sua vida privada. Mas isso não estava certo para ela e, apesar de não ter um emprego nem qualquer fonte óbvia para ganhar dinheiro, ela pegou suas duas filhas e partiu, confiando que, de algum modo, daria um jeito. E ela deu.

Para complicar ainda mais as coisas, muitos homens parecem sentir-se pouco à vontade com mulheres financeiramente independentes, porque com o dinheiro vêm poder e confiança. E muitos homens ainda sentem-se ameaçados por mulheres poderosas e confiantes. É mais ou menos assim: homens amam mulheres. Homens amam dinheiro. Mas homens não amam mulheres com dinheiro. Um pouco resumido, mas essa noção foi recentemente confirmada por dados científicos. Um estudo de 2004 constatou que, nas palavras do jornal *New York Times*, os homens preferem se casar "com suas secretárias do que com suas superiores hierárquicas".

Isso causa estranheza, porque os homens gostam de resolução de problemas e de eficiência. Se eles amam mulheres e amam dinheiro, então uma mulher rica seria como matar dois coelhos com uma só paulada? Por que o dinheiro aumenta o ego masculino em um caso, mas o reduz no outro?

Uma resposta rápida poderia ser que a questão é mais de dinheiro – que os homens preferem mulheres jovens, que em geral tendem a ter menos dinheiro e menos realizações, sendo assim menos ameaçadoras para eles. Mas isso certamente não é verdade. Por exemplo, como você explica o comportamento do ator Jude Law, com pouco mais de trinta anos, que traiu sua bela e bem-sucedida noiva, de vinte e três anos, com a babá do seu filho, que tem vinte e seis?

Seria o caso de se pensar que, à medida que as mulheres continuam a fazer conquistas no local de trabalho, seria mais fácil se os homens aprendessem a não se sentirem ameaçados por mulheres com dinheiro. Mas isso provavelmente não irá acontecer tão cedo. O dinheiro dá independência e poder às mulheres e muitos homens ainda derivam seu senso de valor pessoal da sua capacidade para sustentá-las e cuidar delas. Quando a independência de uma mulher se choca com a auto-imagem de um homem, isso pode perturbar o relacionamento. Até que isso mude, as mulheres financeiramente bem-sucedidas poderão querer receber outra lição do mundo corporativo, dominado pelos homens, e ocultar seus ativos dos companheiros em potencial.

Deixar de ter medo do dinheiro não significa necessariamente que iremos enriquecer, mas significa que, independentemente do que nos acontecer em termos financeiros, ou românticos, teremos mais voz ativa a respeito do dinheiro e mais opções. E ter mais confiança na vida e em nossos relacionamentos sempre é uma coisa boa.

A empresária Jody Miller reuniu coragem para lançar o Business Talent Group, um novo mercado para profissionais independentes de alto nível, para ter mais controle sobre sua vida. "Eu decidi", disse ela, "levantar vários milhões de dólares com pessoas que conhecia em vez de fundos de investimentos institucionais. As pessoas dizem que a 'amam' e querem apoiá-la, mas você só descobre a verdade quando pede. Quando você coloca o 'amor' em teste, fica vulnerável. Mas ao contrário do amor, uma rejeição no campo dos negócios não pode ser interpretada como sendo pessoal. Quando você está levantando dinheiro, não pode ter medo de pedir aquilo de que necessita. Lembre-se de que você não está pedindo um favor – está oferecendo uma oportunidade".

A estratégia de Jody não teria funcionado se ela não houvesse superado o medo de se expor. Ela contou-me: "duas coisas me ajudaram a superar o medo: primeira, verifiquei quem, além de mim, estava levantando dinheiro. Constatei que muitas pessoas com muito menos experiência do que eu haviam levantado – e se elas tinham conseguido, eu também conseguiria. Eu havia lido que os fundadores do Blackstone Group, empresa de investimentos privados e consultoria, tinham sido rejeitados por centenas de pessoas antes que conseguissem seu financiamento. Segunda, focalizei o 'prêmio'. Eu sabia que nada seria mais compensador do que criar uma empresa em meus termos que mudasse as coisas para pessoas talentosas".

Perder o medo a respeito de dinheiro

Durante as últimas primárias presidenciais americanas, etapa para a escolha do candidato do partido, lembro-me de ter assistido com minha filha, então com quatorze anos, Diane Sawyer entrevistando Judy Dean. E fiquei emocionada como poucas vezes fiquei durante as inúmeras horas que tenho passado assistindo a esse tipo de teatro político. "Por que você está chorando, mamãe?", perguntou minha filha perto do fim do segmento. Eu precisei pensar. Por que as respostas decididamente ásperas da sra. Dean haviam me tocado, então, eu me lembrei: foi o presente de aniversário.

Judy Dean havia gostado muito quando seu marido lhe deu um arbustos por seu quinquagésimo aniversário. "Não ligo muito para 'coisas'", explicou ela. "Tudo que quero, eu tenho – não estou interessada em coisas". E ponto final. Um sincero apelo à simplicidade.

Pessoas como Judy Dean contrastam fortemente com nossa obsessão nacional pelo consumo. Nossa sociedade valorizou tanto o manufaturado em relação ao significante que, quando uma pessoa ousa questionar o valor de nossa cobiça, reagimos como se ela tivesse contestado a legitimidade das Sagradas

Escrituras. Não é de se admirar que os estoques de itens pessoais ocupem hoje 90 milhões de metros quadrados nos EUA – mais de três vezes a área de Manhattan. Continuamos comprando coisas apesar de não ter onde guardá-las.

A antítese de tudo isso era minha mãe. Ela era totalmente desprendida de coisas materiais. Quando morreu, não deixou nada de valioso – fato normal, considerando-se seu hábito de dar objetos. Por exemplo, houve a vez em que lhe demos um segundo relógio de aniversário e ela o deu a alguém dois dias depois. "Já tenho um relógio", explicou ela.

Um dia ela me disse que operava como o governo: primeiro decidia de que os filhos necessitavam e a seguir tratava de conseguir o dinheiro. Minha mãe era uma financiadora de déficits. Ela fechava as contas tomando empréstimos ou vendendo seus bens, de um tapete trazido da Rússia pelos seus pais ao seu último par de brincos de ouro. Não estou defendendo os cartões de crédito – longe disso. A questão é que a verdadeira riqueza de minha mãe era o fato dela nunca ter tomado decisões em posição de carência. Mesmo quando ela, minha irmã e eu tínhamos que dividir um apartamento de um dormitório em Atenas, ela sempre irradiava abundância. Quando eu disse que queria estudar em Cambridge, ela nunca disse "não temos dinheiro" – e não tínhamos. Ela era uma sonhadora e sempre acreditou que o universo iria conspirar para fazer surgir os recursos para satisfazer seus sonhos. E no caso dela, todos os sonhos eram para suas filhas.

Dê e você receberá

Quando comecei a ganhar dinheiro – depois que a biografia de Maria Callas tornou-se um grande sucesso editorial –, minha mãe viu aquele sucesso financeiro somente como um passaporte para a liberdade, que para ela significava nunca ter que tomar decisões baseadas simplesmente no preço. Ela ensinou minha irmã e a mim tudo a respeito de abundância: que ela está mais ligada ao seu estado de espírito do que ao seu saldo bancário. E ela vivia constantemente em estado de oferta. Comida, é claro, era o que ela mais gostava de oferecer, mas isso era uma metáfora para muito mais. Estou convencida de que ela acreditava piamente que alguma coisa terrível iria acontecer às suas filhas – e aos netos e aos amigos – se eles deixassem de comer por vinte minutos. Ninguém podia tocar a campainha da porta, fosse o carteiro ou um parente, sem ser convidado, na verdade coagido, a sentar-se e experimentar o que ela estivesse cozinhando. E ninguém podia sair de nossa casa sem um saco cheio de comida.

Posso não presentear o carteiro com um prato de comida, mas aprendi que todas as vezes que dou alguma coisa, isso reforça meu sentimento de quanto minha vida é abundante. Dez anos atrás, comecei a doar 10% dos meus rendimentos a instituições de caridade. Pagar o dízimo é um dos princípios espirituais mais antigos; é um reconhecimento de que não estamos sós no universo e que, quando damos sem medo, nos abrimos para receber mais. Cada doação me faz ficar grata pelo fato de poder dar e isso me fez dar valor ao ato de dar e reconhecer no mesmo momento – e não em retrospecto – as bênçãos que recebi. "Que vida maravilhosa eu tenho", disse a escritora francesa Colette. "Só queria ter compreendido isso antes".

Persiga sua paixão

O verdadeiro destemor a respeito de dinheiro só pode ocorrer quando não somos movidas por um desejo insaciável por segurança e começamos a viver uma vida movida por paixão e propósito, independentemente de nossas condições financeiras específicas.

Lembro-me de quando estava perto dos vinte e cinco anos e escrevendo meu segundo livro. O primeiro tinha sido um sucesso surpresa. Em vez de aceitar qualquer um dos contratos que me haviam oferecido para escrever novamente sobre mulheres, decidi abordar um assunto com o qual estivera preocupada quando estava na faculdade (e que me preocupa até hoje): o papel dos líderes na moldagem do nosso mundo. Tranquei-me no meu apartamento em Londres e trabalhei 24 horas por dia nesse livro. Eu escrevia até não conseguir ficar acordada – às vezes até de manhã.

Finalmente o livro foi terminado e não me lembro de ter ficado, antes ou depois, tão satisfeita com o trabalho que havia feito. Assim, imagine minha surpresa quando um editor após outro o rejeitou. Na verdade, trinta e seis editores rejeitaram o livro antes da editora Stein & Day finalmente publicá-lo nos Estados Unidos. Foi o tipo de rejeição que provocou todos os tipos de dúvidas a meu respeito, inclusive temores de que eu não só estivesse na carreira errada, mas também iria quebrar no processo. "E se o sucesso do meu primeiro livro foi uma casualidade e eu, na verdade, não quisesse ser uma escritora?", eu me perguntava durante muitas noites de insônia. E aquela não era apenas uma pergunta teórica; também era de ordem financeira. "Como irei pagar as contas?". Eu havia usado os direitos autorais do primeiro livro para subsidiar a escrita do segundo e meu dinheiro estava acabando. Minha opção era conseguir algum tipo de emprego "real" enquanto escrevia, ou obter um empréstimo.

Meu desejo de escrever mostrou ser mais forte que o medo da pobreza. Caso tivesse ficado com medo, eu teria jogado os originais no cesto de lixo por volta da décima quinta carta de rejeição e conseguido um emprego que nada tinha a ver com minha paixão. Em vez disso, fui a uma agência do banco Barclays Bank em Londres e falei com um gerente chamado Ian Bell. Sem nada a oferecer a não ser muita audácia grega, pedi um empréstimo. E com muita confiança infundada, ele o concedeu.

Sempre fui grata a Ian Bell. Afinal, ele foi a pessoa que tornou possível para mim escrever um livro que, embora nunca tenha sido um sucesso comercial, gerou muitas críticas favoráveis. Mais importante, o livro foi como uma semente plantada quando eu tinha pouco mais de vinte anos e que finalmente brotou quando eu tinha quarenta, ocasião em que passei a me envolver seriamente com a política.

Paixão e esperança abundantes (para não mencionar muita coragem) me fizeram superar meus temores financeiros. É impossível ser destemido a respeito de dinheiro se não valorizamos outras partes de nossas vidas, e a nós mesmas, mais do que valorizamos nossos saldos bancários.

6

Não tenha medo de envelhecer e das doenças

O tempo pode estar do seu lado

EM UMA CULTURA que valoriza a juventude tanto quanto a nossa, cujos padrões de beleza se limitam a uma faixa etária – dos dezoito aos trinta e quatro anos –, o tempo é o inimigo público número um. Especialmente para as mulheres.

Cada nova ruga ou novo fio de cabelo branco pode nos provocar medo: o medo de perder o poder da juventude, de ser estigmatizada como "ultrapassada".

Em nenhum lugar essa tendência é melhor ilustrada do que no templo da nossa cultura popular, o cinema. Na década de 1950, os executivos dos estúdios mentiam regularmente a respeito das idades de suas estrelas, dependendo daquilo que, para eles, teria mais apelo para o público. Nas palavras de Harlan Boll, publicista de filmes, "o público americano, na verdade, não perdoa as pessoas por envelhecerem".

Isso nasceu em um estudo feito em 2000. Depois dos 40, os atores conseguem 40% mais trabalho do que as atrizes e, em consequência disso, tendem a ter carreiras mais longa que as colegas. A respeito desse estudo, observou-se que é uma diferença de cerca de 7 mil empregos e milhões de dólares por ano... Responda depressa: dê o nome de uma heroína de filmes de ação, apresentadora de TV ou estrela de um seriado com mais de sessenta anos.

É claro que as noções implacáveis a respeito de envelhecer não se limitam ao show business e às artes. Também na vida real as mulheres mais velhas são trocadas por "esposas-troféus" ou amantes-troféus mais jovens. Nós tememos – e com razão – que o avanço da idade pode nos deixar indesejáveis e sozinhas.

Não é de admirar que as mulheres façam o possível para manter em segredo sua idade. É difícil ser destemida no mundo se você tem medo que o mundo saiba há quanto tempo você vive nele! Eu gostaria de dizer que sempre fui destemida a respeito de idade, mas no meu caso não tive opção. Quando saiu meu primeiro livro eu tinha vinte e três anos e meu editor – usando minha juventude como recurso de marketing – alardeou minha data de nascimento para todos os cantos. Minha idade não fará parte da campanha de marketing para este livro, mas ela certamente não constitui segredo. (Para poupar tempo de pesquisa, nasci em 15 de julho de 1950 e, para os interessados, com o sol em Câncer, a lua em Câncer e ascendente Escorpião.)

Com o envelhecimento, os temores não se limitam apenas à aparência ou ao fato de nossos corpos não serem capazes de fazer tudo o que faziam no passado. Também há o medo de ser dependente, vulnerável, negligenciada, isolada. E esse é um medo legítimo em nossa cultura.

Para cada Tina Turner ou Diane Keaton, que é celebrada e dona de seu próprio nariz, há milhares de mulheres idosas que são postas de lado e marginalizadas, tornando sua sabedoria e experiência um recurso desperdiçado. De fato, passamos a segregar os idosos do restante da sociedade, enviando-os a asilos como se temêssemos que eles nos contaminassem. Ou simplesmente nos façam lembrar de como estaremos daqui a alguns anos ou décadas.

Medo de ficar doente

Podemos esconder nosso medo da velhice mantendo os idosos fora da vista e não pensando neles, mas não podemos fazer o mesmo com as doenças.

Eu tinha quarenta e três anos quando tive meu primeiro temor real em relação à saúde. Eu estava em um hospital de Washington, passando por um exame físico de rotina. Enquanto uma enfermeira media minha pressão arterial, eu estava fazendo listas mentais do que tinha de fazer naquele dia. A médica entrou, saiu e entrou novamente. A certa altura me ocorreu que ela estava falando com uma seriedade incomum. Ela finalmente chamou minha atenção com a palavra caroço.

Aquele era o lado desfavorável de minha filosofia de assumir o melhor até ouvir o pior: na verdade, eu já havia percebido o caroço e assumi que se tratava de um quisto inofensivo. Já havia acontecido antes. Sem problemas. Mas agora eu estava ouvindo o pior, coisas como "biópsia", "cirurgia" e como o caroço não seria "aspirado" e que ele tinha de "sair" imediatamente.

Senti que ia desmaiar e pedi para deitar na mesa de exames, enquanto minha médica explicava o que tudo aquilo significava. Como se fosse através de um nevoeiro, eu a ouvi falar a respeito do tempo para obter os resultados do laboratório depois da cirurgia e de como ela gostava que suas pacientes viessem ao consultório para rever os resultados e "discutir as alternativas". De repente, meu dia – ou o que eu pensava que ia ser meu dia – havia mudado radicalmente. Meus prazos desapareceram e minhas prioridades foram drasticamente reformuladas.

Uma semana depois da cirurgia tivemos os resultados. O caroço era benigno. Mas aquela semana havia sido longa e cheia de dúvidas. Aprendi como os grandes temores da vida podem facilmente apagar os pequenos. Todos os pequenos choques e desacordos triviais desaparecem quando surge de repente o reconhecimento do que é realmente importante. Momentos de alta intensidade, de náusea e pensamentos de morte, são momentos em que Deus nos dá tapinhas no ombro e nos faz lembrar da transitoriedade das coisas que assumimos que lá estarão para sempre – pessoas, relacionamentos, futuro – e o valor de tudo que damos como certo. Não existe nada como a perspectiva de perder uma coisa para lhe darmos seu verdadeiro valor.

Mesmo as mulheres que estão em forma invejável não estão imunes aos temores de uma doença iminente.

Quando a doença vem realmente, o medo aumenta a dolorosa realidade. Arlene Hogan, diretora de uma escola de Los Angeles, passou por uma inesperada cirurgia cardíaca quando tinha pouco mais de quarenta anos: "ficar de repente tão completamente incapacitada pela cirurgia foi aterrorizante. Apesar das garantias do meu cirurgião, de que reparos no coração eram procedimentos seguros, eu sabia que as apostas físicas eram altas e estava arrasada com a possibilidade de uma vida muito alterada. A recuperação, tanto física quanto mental, foi extraordinariamente difícil. As coisas tinham se complicado mais do que eu havia previsto e fiquei sofrendo dentro de um quarto de hospital deprimente por quase duas semanas. No décimo segundo dia eu desmontei, soluçando para minha irmã que não aguentava mais aquilo. A resposta dela foi dizer que eu era filha da minha mãe: 'você é como mamãe. Você é uma sobrevivente'."

Hoje Arlene ajuda outras mulheres a enfrentar o medo de cirurgias cardíacas e, em consequência de sua experiência, sua vida mais do que nunca se transformou numa celebração: "toda manhã eu me lembro de que tenho muita sorte. Ainda estou viva. Sinto o ar em meus pulmões, o sol em meu rosto e, sim, ouço a batida do meu coração (essas válvulas de titânio são barulhentas!)".

Perder o medo de envelhecer e adoecer

Uma coisa que todas nós sabemos é que não podemos escapar do envelhecimento. Como a velhice é inevitável (assim espero), a única pergunta que permanece é como lidar com ela – e o que optamos por fazer com nossa vida enquanto ela não chega.

É útil pôr nossos temores em perspectiva. Por um lado, nosso conceito cultural de envelhecimento – tratá-lo como uma doença a ser combatida com todos os meios possíveis – não é universal. Ele foi aprendido. O que significa que pode ser desaprendido. Tenho a sorte de vir de um país que respeita e reverencia a velhice.

Há dez anos visitei, com minhas filhas, o monastério de Tharri, na ilha de Rodes. Lá, como em toda a Grécia, os abades são chamados por todos de "geronda", que quer dizer "velho". As abadessas são chamadas de "gerondissa". Essas não são exatamente palavras de ternura no meu lar adotivo. A ideia de honrar a velhice, identificando-a com sabedoria e proximidade de Deus, está em gritante contraste com a maneira pela qual tratamos o envelhecimento nos EUA. O geronda no monastério de Tharri nem mesmo era velho – tinha provavelmente pouco menos de sessenta anos. Mas "velho" e "velha" são títulos concedidos às pessoas idosas devido ao respeito que elas inspiram.

É claro que o hábito de honrar os idosos não se limita à Grécia. Ele faz parte das tradições indígenas americanas, como os Inupiat do Alasca, que exigem não apenas respeito por seus idosos, mas também deferência, em especial por parte das crianças. As sociedades tradicionais asiáticas também atribuem a categoria social mais alta aos seus membros mais idosos, na família e também na comunidade.

Mesmo que você não esteja pronta para se considerar uma sábia destemida, lembre-se de que a idade não é mais o que era. Não só a expectativa de vida é hoje muito maior no mundo industrializado – ela passou de pouco menos de cinquenta anos, em 1900, para quase oitenta, em 2000 – mas também a faixa entre quarenta e sessenta anos é vista hoje como o auge. Cinquenta anos corresponde a trinta. E os avanços da medicina para prorrogar o envelhecimento poderão aumentar ainda mais a expectativa de vida das pessoas – dos oitenta anos de hoje para cem, no ano 2030.

O lado positivo do envelhecimento

Para que percamos o medo de envelhecer, devemos saber o que esperar à medida que o tempo muda nossos corpos. Essa preparação pode nos ajudar a nos adaptar às mudanças com menos apreensão.

E nem tudo é ruim. A maioria das mulheres sabe como prever as ondas de calor e o ressecamento da pele que vêm com a menopausa. Mas há outras mudanças – particularmente no cérebro feminino – que devemos analisar.

A partir da meia idade, devido a alterações nos níveis hormonais e na química do cérebro, as mulheres começam a se importar menos com as opiniões alheias e mais com o que lhes importa. Essa também é a época em que mais mulheres do que homens pedem divórcio.

Durante os anos de criação dos filhos, o cérebro da mulher está programado com um complexo de hormônios, toques físicos, emoções e circuitos cerebrais para cuidar daqueles que a cercam. Em termos sociais, ela é sempre incentivada a agradar aos outros.

Porém, a partir da perimenopausa (a fase que antecede a interrupção total das menstruações) e através da menopausa, as mulheres experimentam uma nova constância no fluxo de impulsos através dos seus circuitos cerebrais. Ela substitui os altos e baixos de estrogênio e progesterona causados pelo ciclo menstrual. Essa mudança também alivia a compulsão para evitar conflitos a qualquer preço. Estamos testemunhando aquilo que é chamado "o cérebro de mamãe começando a se desligar". A consequência feliz é que muito mais energia fica à nossa disposição.

Essas alterações hormonais e cerebrais também coincidem com uma queda na testosterona (sim, nós a temos), que regula nosso impulso sexual. Para algumas mulheres, isso quer dizer menos interesse por sexo, mas, para outras, provoca aquilo que a antropóloga Margaret Mead chamou de "entusiasmo pós-menopausa" – e um grande desejo por aventuras e novos relacionamentos. Uma compensação nada má para a pele mais seca e as ondas de calor.

Não são apenas nossas emoções e nosso impulso sexual que mudam à medida que muda nosso cérebro. Embora nossa capacidade intelectual básica não se altere, nosso estilo de pensar muda. "Por exemplo, os adultos mais velhos tendem para um estilo mais simples e direto de escrever e pintar, que é de compreensão mais fácil para as outras pessoas", de acordo com a professora Carolyn Adams-Price, membro da Universidade do Estado do Mississipi. É bom saber que somos preparadas para maior simplicidade à medida que envelhecemos.

Cuidados com o corpo

Enquanto alterações positivas ocorrem com nosso cérebro de forma independente e natural, há passos pró-ativos que podemos dar para permanecer tão saudáveis e vibrantes quanto possível à medida que envelhecemos. Podemos não ser capazes de deter a marcha do tempo, mas aprendemos muito mais a respeito de como cuidar de nós mesmas antes que nosso tempo termine. Afinal, os cuidados preventivos com a saúde têm avançado aos saltos – precisamos apenas parar nossa vida ocupada por tempo suficiente para nos educarmos a respeito de tudo que hoje é possível.

Não sou médica nem darei conselhos médicos aqui, mas posso falar por experiência a respeito do poder dos cuidados preventivos, quer se trate de desintoxicação por mercúrio ou de um suprimento diário de antioxidantes, óleos de peixe, chá-verde e alimentos orgânicos.

No mundo de hoje, em que milhares de produtos químicos são usados à nossa volta, é essencial que nos protejamos contra a exposição a eles e que mantenhamos algum tipo de programa de desintoxicação.

O médico Soram Khalsa é membro fundador da Associação Médica Holística da América e um apaixonado defensor da desintoxicação como elemento vital para retardar os efeitos do processo de envelhecimento e reduzir a probabilidade de doenças degenerativas crônicas. Quando iniciei o programa de desintoxicação do Dr. Khalsa, fiquei chocada ao descobrir quanto mercúrio eu tinha em meu corpo. Livrar-se de metais pesados e pesticidas, contou ele, é um processo de longo prazo, uma vez que o corpo armazena essas toxinas não apenas no sangue, mas também na gordura. À medida que meu corpo começou a se desintoxicar, as alterações em minha clareza mental e meu nível de energia foram tão notáveis que tornei o programa de desintoxicação parte do meu regime. Deixei de comer atum e peixe-espada e passei a gostar de sauna infravermelha e "body wrap", equivalentes modernos das cabanas de suar dos nativos americanos; elas extraem as toxinas enquanto fico deitada suando. Se você gostar de fazer muitas coisas ao mesmo tempo como eu, poderá deixar um braço livre para fazer telefonemas.

Quanto à nossa camada mais externa, há muitos tratamentos antienvelhecimento para a pele que podemos usar sem precisar recorrer à cirurgia plástica. Três anos atrás eu fazia uma caminhada com Sherry Lansing, então dirigente do estúdio de cinema Paramount, e estava admirando sua pele. Eu sabia que ela estava chegando perto dos sessenta anos – ela sempre foi aberta a respeito da própria idade – e nunca tomou injeções de Botox. Perguntei qual era seu segredo. Ela contou-me a respeito da sua incrível esteticista, Mila Moursi, especializada em mulheres que não querem passar pela cirurgia plástica.

No meu aniversário, Sherry me deu uma sessão de presente e desde então frequento a clínica. Minhas sessões regulares com Mila incluem microdermoabrasão, uma técnica de renovação da pele para compensar os efeitos do sol e do envelhecimento. Mas até mesmo o mais simples tratamento facial doméstico pode limpar e refrescar sua pele e seu estado de ânimo, mesmo que não tire as rugas de nossos pés. E quando nos sentimos bem a nosso próprio respeito, temos menos medo de envelhecer.

Encontrar forças em tempo de doença

Cuidados preventivos são sempre importantes, mas à medida que envelhecemos aumentam as probabilidades de surgir doenças inesperadas. E, às vezes, mesmo depois que nos recuperamos delas, ficamos cheias de medo a respeito de voltar à vida normal. Diana Meehan, fundadora da Escola Archer para Garotas, sempre foi fisicamente destemida. Ela se descreve como uma pessoa que "costumava andar sobre as mãos nas barras paralelas e saltar através de um precipício em vez de contorná-lo". Assim foi um choque quando, acometida por uma doença debilitante do sistema imunológico, ela foi relegada ao sofá da sala durante a maior parte de suas horas acordada.

"Quando comecei a me recuperar", contou ela, "tive de aprender a caminhar, estender a mão e erguer os braços como se nunca tivesse feito isso". Nadar e andar de caiaque ainda parecia impossível. Então, "em um dia glorioso de primavera, quando o oceano Pacífico estava quase pacífico, meu irmão Tom e seu filho tiraram dois caiaques para fora e fiquei emocionada ao ver os barcos coloridos na praia, apontando para a água. 'Você irá comigo?', perguntei a Tom. No colégio ele havia sido surfista e salva-vidas, assim, sabia que eu estava perguntando se ele pensava que eu poderia fazer aquilo. Eu consegui e isso ajudou-me a superar o medo "de ficar fisicamente restrita, impedida pela gravidade ou pela idade de saltar no desconhecido".

Em outras ocasiões, precisamos nos ajustar às alterações permanentes causadas pelas doenças. Gloria Berger, avó de uma das melhores amigas de minha filha, falou-me a respeito de como lidar com a degeneração macular, uma doença ocular progressiva: "eu estava profundamente temerosa de como iria lidar com essa desvantagem. Eu pensava que a força da minha vida estava ligada à minha força corporal. O pensamento de viver sem visão era devastador e, nesses últimos cinco anos, tive muitos momentos em que meu mundo pareceu escuro e solitário. Mas com o passar do tempo descobri uma nova força em mim e um senso de realização, à medida que fui desafiada a seguir com minha vida. Descobri que sou capaz de continuar a esculpir baseada no tato. E até sou capaz de dançar!".

Dexintoxicar a alma – desistir

Envelhecer com destemor certamente exige a manutenção de nossos corpos e adaptação às doenças. Mas, no mínimo tão importante quanto a manutenção de nossas pessoas exteriores, é cuidar de nossas pessoas interiores. Permanecer em relacionamentos negativos pode ser mais tóxico do que aquilo que comemos, bebemos ou inalamos. Evitar as pessoas que, por qualquer razão, não são boas para nós, é cada vez mais importante à medida que envelhecemos. E com menos areia no alto da ampulheta, desistir daquilo que não está funcionando é crucial para superar o medo de envelhecer.

No meu quadragésimo aniversário fiz uma lista de todas as coisas nas quais não era boa, das quais não gostava ou tinha pensado fazer um dia, mas, sendo realista, simplesmente não iriam ser feitas. A admissão dessas coisas para mim e a libertação da ansiedade de expectativas perpetuamente insatisfeitas não foram deprimentes, mas, sim, extremamente libertadoras.

Foi assim que desisti de esquiar. Eu era ruim nesse esporte e não gostava dele o suficiente para dedicar a energia e o tempo que seriam necessários para melhorar. Eu queria me divertir esquiando, como acontece com muitos amigos. Mas foi um grande alívio quando admiti para mim mesma que não me divertia. Também foi assim que desisti de aprender alemão. Sim, seria interessante saber falar alemão, mas eu nunca iria ter tempo para isso. Simplesmente não era uma prioridade suficientemente alta.

Eliminar coisas – roupas, objetos, equipamentos que não mais usamos – também nos dá uma liberdade e uma clareza que crescem de importância à medida que envelhecemos. Os livros, em especial aqueles cheios de anotações, são meu desafio, ameaçando me engolir constantemente. Quando há muitos deles empilhados no piso do meu escritório, eu os levo para a garagem e empilho lá. Não é o ideal, mas estou aprendendo; pelo menos eles estão mais longe. Daqui a pouco, talvez eu os leve para fora da minha propriedade.

Desistir, tirar fora, simplificar – tudo isso é difícil de fazer nessa cultura baseada em adição ao invés de subtração. Mas quando deixamos de nos apegar às coisas que nunca iremos usar e paramos de tentar ser quem não somos, descobrimos novas forças e energias. Para fazer isso, é preciso coragem e decisão consciente. Quando somos mais jovens, nós nos definimos por nosso trabalho, nossas famílias, por uma dúzia de medidas externas. Mas quando envelhecemos e superamos velhos papéis, podemos nos sentir à deriva, sem propósito e cheias de medo – a menos que nos concentremos no que está crescendo e não no que está morrendo. Como nossas células mudam o tempo todo, será que nossos estados mental e emocional também não deveriam se regenerar constantemente? A estagnação mental é a forma mais rápida para envelhecer.

Livre para sonhar em qualquer idade

Quando começamos a desistir de coisas que não nos apaixonam, ficamos livres para iniciar novos projetos e perseguir novas paixões. Essa é uma das melhores maneiras para se tornar realmente destemida a respeito do envelhecimento. Eu tinha cinquenta e dois anos quando descobri a blogosfera e escrevi a seu respeito. Dezesseis meses depois, escrevi novamente sobre ela, confessando que "estou sem tempo. Falo de paixão cega. Mas não é um Brad Pitt, Orlando Bloom ou Colin Farrel ou qualquer dos atuais galãs de cinema que faz meu coração palpitar. São Atrioios, Kos, Josh Mica Marshall, Kausfiles, Kevin Drum e Wonkette. Todos bloggers (autores de diários virtuais). Sim, quando se trata da blogosfera, sou uma viciada. E não me importa quem sabe disso.

Um ano depois, em 9 de maio de 2005, lançamos o site *Huffington Post*. Espera-se que a internet seja uma coisa de jovens e, como era esperado, o lançamento foi saudado por uma cacofonia de agourentos. Nikki Finke, escrevendo no jornal *LA Weekly*, chegou ao ponto de nos declarar natimortos. Poucas horas depois do nosso nascimento, ela escreveu, sob a manchete "Por que o blog de Ariana explode", que "a Madonna do mundo da mídia política se reinventou demais. Esse website é o tipo de fracasso que simplesmente não pode sobreviver". Puxa vida. Uma simples nota de "congratulações" teria sido suficiente. (É interessante saber que um ano depois, a respeito de nosso primeiro aniversário, Nikki Finke descreveu o site *Huffington Post* como "um ativo para o diálogo na Internet. Hoje posso ir ao site e ver em um só lugar histórias que não encontro nos principais sites de notícias". E ela nos envia por e-mail suas histórias para serem colocadas no site, coisa que fazemos com satisfação).

Certamente não sou a única a lançar um novo projeto com mais de cinquenta anos. Um artigo da revista *Time*, em 2005, abriu um buraco no conceito da "crise" da meia-idade, mostrando que na fase posterior da vida, mais mulheres do que homens estão iniciando novos projetos: "36% das mulheres entre 50 e 64 anos declararam que satisfizeram um sonho, comparadas com 24% das mulheres mais jovens e 28% dos seus pares do sexo masculino".

É claro que eu tinha muitos temores quando dei meu salto no desconhecido, mas eu sabia que quase todos eram apenas ecos fracos de temores anteriores. Eu havia aprendido a não ter medo dos meus críticos e certamente nunca permitiria que me detivessem. De fato, a coisa mais libertadora a respeito de envelhecer é compreender como é pequeno o poder que os negativistas têm sobre nós – a menos que o outorguemos a eles. O importante não é se seu novo empreendimento é um grande sucesso ou um fracasso médio. O importante é que você o está fazendo.

Aprender com a gerondissa

Outro segredo para envelhecer sem medo é passar mais tempo olhando para a frente e menos tempo olhando para trás – e muito menos tempo olhando no espelho. Isso não é fácil de fazer, mas encontrar algumas mulheres mais velhas na sua vida que sirvam como modelos de destemor certamente ajuda. Quando eu tinha vinte e quatro anos e estava promovendo meu primeiro livro, fui entrevistada em Cleveland por Dorothy Fuldheim. Ela havia começado sua carreira como âncora de telejornal, o profissional que é ao mesmo tempo apresentador e comentarista do noticiário. Ela estava com oitenta e um anos quando me entrevistou e estava na estação desde que tinha cinquenta e quatro – trinta e sete anos ininterruptos. Ela havia entrevistado Albert Einstein e todos os presidentes, de Franklin Roosevelt a Ronald Reagan.

Em 1970, depois que quatro alunos universitários tinham sido mortos durante um protesto contra a guerra no Vietnã, Dorothy foi à TV e chamou aquilo de assassinato. Houve tanta oposição e tantas cartas protestando contra seus comentários que ela ofereceu sua demissão. A estação não aceitou sua demissão, mas a experiência foi como um batismo de fogo e comprovou mais uma vez o ditado que diz que o que não mata, fortalece. Consumida por meus temores e minha ansiedade, fiquei apavorada ao ver como Dorothy parecia tão fantasticamente livre e destemida. Enquanto viajava de cidade em cidade, enfrentando todas as controvérsias a respeito das "guerras de mamães" que meu livro tinha provocado, eu me perguntava se conseguiria chegar aos oitenta anos tão livre e destemida.

E há a história de Doris "Granny D" Haddock, uma avó que, com quase noventa anos, passou quatorze meses caminhando do Pacífico até o Atlântico para chamar atenção para a desesperada necessidade de reformas no financiamento de campanhas eleitorais. Muitas mulheres destemidas têm combatido pela liberdade: Rosa Parks pela integração e "Granny D" para restaurar nossa confiança em nosso governo. Quando ela veio a Los Angeles em 2000, minha mãe ainda estava viva. Reuni essas duas mulheres admiráveis e apresentei "Granny D" às minhas filhas como poderoso exemplo da irrelevância da idade quando se é apaixonado a respeito do que se está fazendo. "Granny D" comemorou seu nonagésimo aniversário subindo as escadas do Capitólio. "Democracia", disse ela, "não é uma coisa que temos, mas uma coisa que fazemos. Acredito que uma pessoa de valor deve concorrer a uma eleição sem ter que vender sua alma às corporações ou aos sindicatos... O poder para levantar fundos não deve ser a medida de um candidato".

"Granny D" provou seu compromisso com reformas dando um passo por vez com muita publicidade, mas seu modelo não precisa ser proeminente – apenas destemido. A escritora Mary Pipher retratou as vidas de muitos idosos no meio-oeste americano, inclusive cinco tias queridas – mulheres comuns que ela chama de heróicas por sua individualidade e seus talentos de confronto. "Quanto mais amamos e respeitamos nossos idosos", escreve ela, "mais ensinamos nossos filhos a nos amar e respeitar".

E quanto mais pessoas idosas Pipher entrevistava para seu livro, menos medo ela sentia da velhice. É quando segregamos pessoas idosas que passamos a temer o inevitável. Precisamos estar em contato com o ciclo de vida natural e deixar que nossa preocupação com as aparências desapareça à medida que nos engajamos mais em causas maiores que nós. Isso significa mais tempo com as gerondissas em nossa vida – nossas mães, vizinhas, tias, colegas – ouvindo suas palavras e aprendendo com elas.

Fui abençoada por ter minha própria mãe como meu modelo supremo de destemor. Quando ela morreu, há alguns anos, compreendi que ela e eu tínhamos sido diferentes de uma maneira importante: ela vivia no ritmo de um mundo sem tempo, um ritmo infantil; eu vivi no ritmo agitado, muitas vezes antinatural, do mundo moderno. Enquanto cada vez que eu olhava meu relógio eu sentia a sensação de estar ficando sem tempo, ela vivia em um mundo em que uma ida ao mercado preenchia com satisfação metade de um dia, em que sempre havia tempo suficiente para pensar como o alecrim ficava bem ao lado da lavanda. De fato, acompanhá-la pelo mercado era como caminhar pelo Louvre, o mais famoso museu de Paris, com um conhecedor de arte, exceto pelo fato de você poder tocar, cheirar e saborear as naturezas mortas.

Minha mãe incorporava as qualidades de que necessitamos para crescer por dentro à medida que envelhecemos – em especial simplicidade e uma conexão com o sagrado. Para todas as pessoas abençoadas por estarem na sua órbita, parecia que essas dimensões da vida haviam sido cuidadas. Eu já tinha cinquenta anos quando ela se foi e eu sabia que, por mais difícil, inconveniente ou mesmo antinatural que parecesse inicialmente, estava na hora de começar a viver mais como ela havia vivido.

A última vez em que minha mãe se irritou comigo foi quando ela me viu falando com minhas filhas e abrindo a correspondência ao mesmo tempo. Ela desprezava tarefas múltiplas. Ela acreditava que isso era uma maneira de perder vida, de perder as dádivas que vêm somente quando você dedica 100% de si mesma a uma tarefa, um relacionamento, um momento. Ela estava certa em acreditar que muitas das nossas emergências eram na verdade manufaturadas.

Enquanto nossa meta no início da vida é ver o que podemos fazer com ela, minha mãe costumava dizer que, à medida que envelhecemos, a meta é ver o que ela pode fazer conosco. Bem, ela fez da vida uma grande aventura – e isso fez dela uma magnífica guia turística, coisa que muitos idosos em nossas vidas podem vir a ser, desde que deixemos.

Quer você tenha vinte e cinco ou setenta e cinco anos, pode canalizar sua gerondissa interior. Por que não encontrar uma mulher mais jovem para guiar? Pode ser uma estudante, uma colega, uma vizinha. Pode, é claro, ser sua própria filha – naquelas ocasiões abençoadas em que ela está aberta à sabedoria acumulada da mãe.

Rort Kennedy, cineasta e filha mais nova de Robert Kennedy, contou-me como, à medida que envelheceu, "as questões maiores – ter filhos, a morte de meus pais, a turbulência da vida – entram em foco e você ganha um senso de perspectiva a respeito de beleza e idade. Superar obstáculos e crescer exigem que você abra mão dos itens não essenciais da vida e reúna sua energia para devolvê-la à vida. Enfrentando a imensidão do universo e começando a dar valor ao mistério da vida, encontramos a sabedoria e sentimos uma beleza interior transcendente. Sim, ainda nos perguntamos como está nossa aparência e o que vestir, mas se temos sorte e não somos mais controladas pelos nossos muitos temores, encontramos um sentimento centrado que se sobrepõe às preocupações superficiais".

A paz que nos iludiu em meio ao tumulto da vida quando éramos mais jovens é uma das dádivas mais sagradas à medida que envelhecemos.

7

Destemor em relação a Deus e à morte

Vencendo o jogo final

POR QUE tememos a morte? A maioria das pessoas provavelmente concorda com Cheryl Saban, a defensora das crianças: "meu medo da morte", contou ela, "está ligado em primeiro lugar à dor, à perda de um ente querido, ao desconhecido e à incerteza a respeito de qual será minha próxima aventura".

É claro que não se trata apenas de temermos não poder mais fazer as coisas que fazemos diariamente deste lado da fronteira. Assim como a maioria das pessoas detesta a ideia de não ver os netos crescerem, ou de perder a última temporada de seu seriado preferido de TV, nosso medo diz respeito àquilo que está no outro lado. Para muitos, isso significa antecipar um encontro com o seu Deus. Será o Deus furioso do Antigo Testamento? Será olho por olho, dente por dente? O dia do julgamento? Os tormentos do inferno?

Na Cristiandade, o Deus irado do Antigo Testamento é substituído pelo Deus do amor e do perdão do Novo Testamento. Mas milhões de cristãos – para não mencionar os milhões de muçulmanos, hinduístas, budistas, judeus e outros fiéis – ainda imaginam Deus e o grande desconhecido além desta vida como algo absolutamente aterrador.

Muitas pessoas temem a morte porque, desde a infância, inculcaram-lhes a imagem de um Deus vingativo – um ser todo-poderoso de que necessitamos e que tememos. Rama Fox, corretora de imóveis em Los Angeles, é uma pessoa cujos temores a respeito da morte estavam centrados nessa versão implacável de Deus. "Quando eu era criança me ensinaram na escola dominical a temer Deus. Disseram que ele era todo-poderoso, que via e sabia tudo, era ciumento, furioso e punitivo, embora poupasse do fogo eterno aqueles que o obedecessem. Em meu coração infantil eu levava tudo isso a sério. Eu estava aterrorizada porque Deus, que tudo sabia e tudo fazia, podia me punir fazendo com que eu ardesse no inferno. Para mim, Deus era mais demoníaco que divino e eu sentia que somente por sorte, desde que obedecesse, eu seria poupada, porque sabia a respeito de Jesus e havia sido batizada".

Há milhões de pessoas que acreditam em um Deus furioso, que castiga todos aqueles que não aceitaram seu filho como salvador – inclusive aquelas que nunca tiveram a chance de aceitá-lo. E o Islã é igualmente exclusivo. "Só eles são os crentes cujos corações sentem medo quando Alá é mencionado", diz uma passagem do Alcorão. Essa exclusividade no centro de muitas religiões organizadas só eleva nosso medo e nos torna incapazes de honrar o espírito comum que está em todas as pessoas.

Medo do vasto desconhecido

Quando Deus é visto como nosso grande adversário, como no caso de Picasso (para quem a batalha era mais uma rivalidade entre dois colegas), nós sublimamos nossos temores em trabalho, sexo, drogas, televisão, álcool ou algum outro vício. E nos alinhamos com pessoas que podem se tornar nossas colegas de conspiração nesse jogo trágico de esconde-esconde – tentar sufocar Deus e a alma e nosso medo de ambos com distrações decididamente terrenas.

No caso de Picasso, seu maior colega de conspiração para superar o medo da morte no fim da vida foi Jacqueline, sua última mulher. Ele mergulhava no trabalho e, enquanto estava ocupado com o trabalho, Jacqueline estava ocupada com ele. O que significava garantir que todos à sua volta eram seus cúmplices, sempre lembrando que ele estava "mais animado do que nunca"; que ele, o único no mundo, iria de algum modo enganar a morte. Até a imprensa colaborou. No seu nonagésimo aniversário, em 25 de outubro de

1971, o jornal *Le Figaro* publicou essa confiante manchete: "Picasso completará 100 anos dentro de 10 anos".

Há séculos, os filósofos e professores religiosos vêm alertando contra esse modo de vida. Sócrates ensinou que deveríamos "praticar a morte" diariamente, para nos ajudar a compreender o que é realmente importante e avaliar o que há de menor na vida em relação àquilo que há de maior.

Mas nossa cultura torna isso mais difícil do que nunca, decidida como está a praticar a negação da morte. Nossa obsessão com trabalho, diversão, compras ou aqueles ídolos americanos constitui apenas uma estratégia defensiva para desviar o medo do desconhecido que temos pela frente.

No caso de Picasso, o trabalho transformou-se no seu escudo, seu talismã. Era o trabalho em detrimento de tudo – inclusive do bom trabalho. "Faço pior a cada dia", disse ele num raro momento de autoconsciência. Mas não permitiu que essa verdade ficasse no seu caminho. "Tenho de trabalhar... preciso continuar". Ou... o quê, exatamente? Ele não foi tão longe na sua introspecção. E, é claro, seu trabalho constante não o manteve "continuando" para sempre.

Medo da fé

No século XX, a resposta à religiosidade cheia de medo foi o ateísmo e a alienação, também cheia de medo, de todas as coisas espirituais. *Alienação* pode ser uma palavra da década de 1960, mas não é um conceito daquela década. É apenas um nome para aquele sentimento básico, atávico, de não sentir-se "em casa" no mundo, uma espécie de saudade cósmica. Ele não nasceu no século XX, mas foi certamente alimentado pela filosofia existencial e pela negação da existência de Deus.

Jean-Paul Sartre celebrou esse terrível vazio: a vida não tem significado... Depende de você lhe dar um significado, e valor nada mais é do que o significado que você escolher". Como disse o filósofo William Barrett, "o ateísmo de Sartre afirma abertamente... que o homem é um estranho no universo, injustificado e injustificável, absurdo no sentido simples de que não há... razão suficiente para explicar por que ele ou seu universo existe".

Puxa, se eu achasse que essa era toda a verdade a respeito do nosso universo, também ficaria muito alienada, amedrontada e desapontada. E nenhum exercício intelectual como o de Sartre mitigaria meus temores. Mergulhar numa atividade incessante para não ter que pensar a esse respeito pelo menos deixaria meu medo em segundo plano. Mas eu não estaria me livrando dele – somente mascarando-o.

Algumas vezes o medo se manifesta como uma ansiedade que paira sobre nós, a qual não podemos associar a nenhuma causa ou evento. "Ansiedade flutuante" é a expressão usada pela psicologia moderna e, dando nome àquilo que não podemos explicar, classificando os sintomas, nós nos levamos a pensar que de algum modo dominamos a causa. Há muitos anos li uma coluna de um teatrólogo de sucesso narrando um dia na sua vida, que seria motivo de inveja para muitos, cheio de pessoas, cores, ação e diversão. Não me lembro do seu nome, mas sua última frase ficou gravada em meu cérebro: "vou para a cama todas as noites sentindo que esqueci algo". A incômoda sensação de ter esquecido alguma coisa importante, que perturba nosso conforto e nossa rotina, alimenta nosso medo e é seu produto.

Assim, para muitos o preço de escapar da prisão das convenções religiosas saturadas de condenação foi perder contato com as verdades espirituais das quais elas se originaram. Quando isso acontece, nossa nova realidade é o terreno repleto de medo do humanismo secular estéril. É um mundo falso, no qual o espiritual é engolido pelo fundamentalismo fanático ou explicado pela psicanálise como sendo o resíduo de uma infância prejudicada. De fato, um dos livros mais famosos de Freud a respeito de religião é intitulado *O futuro de uma ilusão*.

Sem a fé numa ordem superior e na existência de alguma coisa além de nós mesmos e nossas vidas cotidianas, a vida pode se tornar emocionalmente insuportável e cheia de medo. E essa ansiedade, mesmo que não nos conscientizemos dela, irá se manifestar em outras partes de nossas vidas. Bernard

Levin descreveu-a como "o atormentador sentimento de que a realidade está em outra parte, vislumbrada pelo canto do olho, sentida pouco além de onde alcança a luz da fogueira, ouvida no movimento lento de um quarteto de Mozart, vista nos olhos dos últimos auto-retratos de Rembrandt, sentida no súbito lampejo de descoberta ao ler ou assistir a uma peça de Shakespeare até então considerada conhecida linha por linha".

Mas nós passamos grande parte de nossas vidas erguendo barricadas contra essa verdade suprema. No século XIX, Nietzsche chamava a si mesmo "um homem que quer perder diariamente uma crença tranquilizadora, que busca e encontra sua felicidade nessa maior liberação diária da mente". Mas a liberdade que ele buscava, a qual era, em essência, a liberdade do medo e das convenções, não pode ser encontrada através da mente, somente através da alma.

Medo das perdas

Durante anos desejei ter filhos; assim, fui às nuvens quando, aos trinta e seis anos, descobri que estava grávida. Porém, noite após noite eu tinha sonhos agitados. Noite após noite eu podia ver que o bebê – que eu tinha certeza que era um menino – estava crescendo dentro de mim, mas seus olhos não se abriam. Os dias se tornaram semanas, as semanas meses. Certa manhã, meio dormindo, perguntei em voz alta: "por que eles não se abrem?". Meu marido se voltou e olhou para mim. "O bebê não abre os olhos", eu disse. Eu sabia então aquilo que mais tarde foi confirmado pelos médicos. Os olhos do bebê não se abririam; ele morreu antes de nascer.

Tudo o que eu queria saber era por quê. Depois de cinco meses de vida em meu útero, meu bebê tinha nascido morto. "Por quê?" perguntei às enfermeiras, a qualquer um, a ninguém, a Deus. Durante cinco meses meu coração crescia com amor enquanto minha barriga crescia com uma nova vida. Como poderia eu saber que eu havia embalado meu filho em seu túmulo?

Nós mulheres sabemos que não carregamos nossos bebês ainda não nascidos somente em nossos úteros. Nós os carregamos em nossos sonhos, nossas almas e em cada célula nossa. A perda de um bebê provoca muitos temores silenciosos: conseguirei engravidar novamente? Conseguirei dar à luz uma criança sadia? Tudo parecia quebrado por dentro. Enquanto ficava deitada durante as muitas noites de insônia que se seguiram, comecei a juntar cacos e estilhaços, esperando encontrar razões. Gradualmente comecei a entender que as respostas viriam no tempo de Deus, não no meu.

Tropeçando através daquele campo minado de perguntas difíceis e respostas parciais, comecei meu caminho para a cura. Os sonhos com meu bebê gradualmente se foram, mas durante algum tempo parecia que a tristeza nunca acabaria. Minha mãe uma vez fizera uma citação de Ésquilo diretamente ligada àquelas horas: "e mesmo em nosso sono, a dor que não pode esquecer cai gota a gota sobre o coração e, em nosso desespero, contra nossa vontade, nos vem a sabedoria pela terrível graça de Deus". À certa altura, aceitei a dor caindo gota a gota e orei pela vinda da sabedoria.

Eu havia conhecido a dor antes. Relacionamentos tinham se rompido, doenças tinham vindo, a morte havia visitado pessoas que eu amava. Mas nunca havia conhecido uma dor como aquela. O que aprendi através dela é que não estamos nesta terra para acumular vitórias, coisas e experiências, mas para sermos cortadas e lixadas até que reste somente aquilo que realmente somos. Essa é a única jornada que pode nos levar ao destemor, particularmente diante da dor e da perda.

Quando engravidei novamente, eu ficava constantemente buscando sinais de que o bebê estava com problemas. Estava com medo de também perder aquele bebê. Mas Christina chegou saudável e meus temores se transformaram numa grande alegria, que trouxe consigo uma experiência espiritual que nunca esquecerei.

Eu fiquei deitada aconchegando-a durante horas. Quando fiquei com sono, nós a colocamos no berço ao lado da cama. Alguns momentos depois, quando todos os outros haviam deixado o quarto, comecei a tremer convulsivamente. Eu tentava me acalmar com as mesmas palavras que tinha acabado de usar para meu bebê: "está tudo bem... está tudo bem".

E então meu corpo não estava mais tremendo. Eu havia saído dele. Eu estava olhando para baixo, para Christina, para a planta na estante, para todo o quarto. Eu não sentia medo; sabia que iria voltar. E estava flutuando numa sensação de enorme bem-estar e força. Era como se uma cortina tivesse sido aberta para me dar um vislumbre da totalidade – nascimento, vida e morte. Vendo todos de uma só vez, eu podia aceitá-los. Não sei por quanto tempo flutuei naquele estado quase tangível de destemor e paz. Então vi uma enfermeira entrar no quarto e, quando ela me tocou, trouxe-me de volta à realidade do hospital. Retornei com um grande senso de confiança e alegria. O medo e a ansiedade de levar Christina para casa tinham desaparecido. Eu sabia que estaríamos bem.

Algumas vezes o medo de perda e da dor nos faz evitar riscos nos afastando do amor, nos levando a não dar parte de nós, a viver de maneira defensiva. Mas isso é como viver sem flores porque, como disse o marido de uma amiga, "as flores são bagunceiras – suas pétalas caem, a água espirra e, além disso, elas morrem!". Podemos tentar nos proteger contra o medo de perdas com flores de plástico e outros complementos, mas não estaremos vivendo uma vida plenamente realizada.

Tornar-se espiritualmente destemida

Nosso modo convencional de pensar a respeito do mundo permanece profundamente dualista. O físico e o racional numa batalha supostamente eterna e inexorável contra o invisível e o espiritual. De fato, as barreiras entre essas duas dimensões – construída pelo racionalismo estreito do Iluminismo – estão hoje sendo desmanteladas pela ciência moderna e por um coro crescente de experiências pessoais. O que estamos vendo – se quisermos olhar – é que não estamos sós em um universo indiferente. Como disse Goethe, "esta vida, senhores, é curta demais para nossas almas". Se esta vida fosse suficiente para nossas almas, não passaríamos por ela consumidos pelo medo.

Reintegrar o espiritual e o quotidiano é o segredo para o destemor. Mas terminar essa divisão não é fácil quando deixamos até de reconhecer que vivemos presos entre esses dois mundos. Quando estamos ocupados ascendendo na carreira ou apenas ganhando a vida, o espiritual parece irreal e distante. Assim nós o mantemos programado para um dia por semana, procuramos por ele só em momentos de crise, ou simplesmente o negamos enquanto tentamos nos convencer de que podemos superar sozinhos todos os temores e obstáculos.

Se você acredita em um Deus que somente julga e pune, ou se acredita que nada mais existe do que um universo acidental e indiferente, será incrivelmente difícil passar do temor para o destemor porque, afinal, a característica essencial do destemor é a confiança. É a confiança de que há significado em nossas vidas, mesmo quando nossas mentes limitadas são incapazes vê-lo, a confiança que está contida em um dos meus versos favoritos da Bíblia: "nem um pardal cai sem que Deus esteja por trás dele".

A alternativa é pessimismo, impaciência e a busca de esperança no fim do mundo ou em panaceias mundanas.

Ser e não-ser

Quando aceitamos a verdade de que somos espirituais e também materiais, somos capazes de distinguir entre nossas preocupações transitórias do dia-a-dia e aquilo que é eterno e imutável. Compreender o que é que nos ajuda a superar nossos temores, não apenas de Deus e de morrer, mas também de perdas.

A forma assumida pelo espiritual depende de você. Fui criada como grega ortodoxa, e o que se fala do catolicismo também se aplica à igreja grega: "a veneração de Maria transformou o catolicismo de religião de terror – talvez necessário na Idade Média – numa religião de misericórdia e amor". Foi de fato o espírito da Virgem Maria que me comoveu e confortou-me quando eu era criança. Sempre que me sentia só e com medo, eu rezava para Maria.

Quando havia brigas na escola, quando minha irmã adoeceu, quando meu pai saiu de casa e não voltou, rezei para Maria.

Ela me acompanhou à Inglaterra e à vida adulta. Do tumulto da Câmara de Debates em Cambridge ao silêncio do meu primeiro apartamento em Londres, ela estava lá. Quando me mudei para Nova York, quando tive um aborto, quando me divorciei, em cada momento atemorizante e difícil da minha vida, eu olhei para Maria como guia espiritual.

Mas também olhei para os poderosos arquétipos da mitologia grega em busca de orientação para minha vida – em especial para a deusa Héstia. Ela é a deusa do coração, do centro eterno ao qual a vida retorna para ser recarregada – um ponto de reunião que provê segurança neste mundo caótico. Seu nome significa "a essência das coisas" e, como ela é a essência de tudo que se move, flui e tem vida, Héstia era adorada na antiga Grécia como o centro do lar, da cidade, do mundo.

Mas ainda mais que conforto e centralidade, Héstia representa o fundamento do nosso ser. Ela não trata de lutar e se esforçar, competir e ter sucesso; ela trata de "ser". De acordo com Carl Jung, Héstia manifesta "a compulsão quase irresistível para a pessoa se tornar aquilo que é, assim como todo organismo é levado a assumir a forma característica da sua natureza". Com deuses como esses, como a mitologia grega pode ter saído perdendo? (Pelo menos uma invenção nossa, a democracia, deu certo).

E há meu deus favorito: Hermes. Ele incorpora a capacidade de fazer descobertas e também aquilo que nunca muda. Sempre que as coisas parecem fixas, rígidas, atoladas, Hermes introduz fluidez, movimento, novos começos. Ele foi o deus que me deu, quando criança, um senso do que havia de milagroso à minha volta. Introduzir o elemento do inesperado em nossas vidas é um dos meios que ele usa para nos tirar da nossa complacência, romper com a inércia e o confinamento dos hábitos e das convenções.

Hermes representa um item muito importante para o destemor: a liberdade de não precisar estar no controle o tempo todo, de nem sempre ter de ser aquele que faz as coisas acontecer. Sua natureza dual também nos ajuda a aceitar o grande paradoxo da vida: que a única constante é a mudança. Por isso ele é o deus das conexões, ligando reinos e dissolvendo fronteiras entre a terra e o submundo, homens e deuses, vida e morte.

Não é preciso ser grego para se beneficiar da sabedoria dos deuses gregos. Nem é preciso esperar até chegar ao outro lado para experimentar a essência de Héstia e Hermes. A capacidade para vencer a distância entre nós e o ente maior está sempre à nossa disposição. É a ponte entre aquilo que conhecemos e aquilo que percebemos vagamente, entre o que somos hoje e aquilo que podemos vir a ser.

Quando começamos a caminhar pela ponte, quando fazemos essa conexão, ganhamos perspectiva em nossas vidas. Quando, entre o segundo grau e a faculdade, eu estudei religião comparativa perto de Calcutá, na Índia, aprendi muito a respeito da forma Shinto de budismo, centrada na atenção. Através do simples ato de prestar muita atenção – no que ouvimos, em como nos movemos ou onde estão nossos pensamentos – nos conscientizamos da importância que nossa mente atribui às coisas. E nessa consciência reconhecemos como tudo está interligado. Todas as religiões têm práticas semelhantes, que podem nos libertar do medo que resulta da necessidade de controlar. Como nos ensina Hermes, é muito libertador simplesmente relaxar e confiar.

Você está equipado para o sagrado

O instinto para a espiritualidade está embutido em nós. É nosso quarto instinto, além daqueles de sobrevivência, poder e sexo. Trata-se de um instinto físico de base genética que tem um propósito metafísico. É uma fome natural por sustento sobrenatural. Ele nos leva a achar significado e transcender nossos egos mundanos. É a rejeição de uma falsa dualidade e a aceitação da totalidade que é nossa verdadeira natureza.

Existem hoje evidências científicas que mostram como funciona o quarto instinto. "Mesmo entre pessoas que consideram a vida espiritual uma tolice cobiçada", escreve Jeffrey Kluger, da revista *Times*, existe um senso crescente de que os seres humanos podem não ser capazes de sobreviver sem ele... A necessidade de Deus pode ser um traço crucial estampado cada vez mais fundo em nosso genoma a cada geração que passa. Os seres humanos que desenvolveram um senso espiritual prosperaram e o deixaram como legado a seus descendentes. Aqueles que não se arriscaram a morrer no caos e na matança". Assim como o medo tem um propósito evolucionário, também tem a espiritualidade.

Essa também é a tese do biólogo molecular Dean Hamer. "A espiritualidade humana", diz ele, "tem um componente genético inato. Isso não quer dizer que existe um gene que faz as pessoas acreditarem em Deus, mas se refere ao fato de os humanos herdarem uma predisposição para o espiritual – para buscar por um ser superior".

Jung compreendeu claramente a natureza crítica do nosso instinto espiritual. Ele tinha certeza de que, entre seus pacientes de trinta e cinco anos para cima, "não houve um, cujo problema, em última análise, não fosse o de encontrar uma visão religiosa da vida. Posso dizer que cada um deles adoeceu porque havia perdido aquilo que as religiões vivas de todas as eras deram aos seus seguidores, e nenhum deles é realmente curado sem recuperar sua visão religiosa. É claro que isso nada tem a ver com um credo ou participação em uma igreja em particular".

Assim, se ainda estamos vivendo em um estado de medo existencial, é provável que tenhamos perdido nossa visão espiritual. Ainda não exploramos nosso "gene de Deus". Ou, em outras palavras, ainda não começamos a viver usando nosso quarto instinto. Afinal de contas, o medo é uma forma de ateísmo, uma rejeição emocional da existência de qualquer coisa maior que nossos egos pequenos, temporais e temporários.

Jornada além do ego

O destemor, com as características associadas de otimismo, confiança e esperança, não é uma cegueira ao sofrimento e à tragédia, nem uma idéia fixa que algumas pessoas têm e outras não. Através dos tempos o destemor tem sido a marca dos pensadores espirituais, felizmente em divergência com a visão mundana que nos vê como partículas acidentais em um universo aos nossos destinos, vivendo vidas sem significado, nossa evolução como um processo sem propósito de casualidade.

O momento que escolhemos para olhar além das circunstâncias de nossas vidas é na verdade o início da nossa jornada espiritual. Quando começamos a explorar os recursos interiores que temos à nossa disposição, também podemos explorar novos temores – temores de que nosso atual estilo de vida, com o qual estamos acostumados, pode estar ameaçado. Podemos temer parecer tolos, estar errados, ter dado prioridade as coisas erradas e ter perdido as mais importantes. (Os gregos têm uma palavra para perder a marca: *amartia*, que significa "pecado".)

Acontece que o medo real de conhecer Deus é um medo de nosso ego, o qual é construído em torno de todas as coisas que pensamos ser, dizer aos outros que somos e fazer de conta que somos.

Se você já conviveu com um portador do doença de Alzheimer, sabe que a experiência pode ser profundamente humilhante, porque permite que você veja que existe algo em nós além de nossos egos, nossas mentes e personalidades. Bernard Levin, meu primeiro amor que permaneceu amigo por toda a vida, foi atingido pela doença na década de 1990. Eu havia estado com ele no início da sua jornada para esse outro mundo. Foi em 1988, quando ele ficou comigo em Santa Bárbara e consultou uma série de médicos em Los Angeles para descobrir por que ele continuava perdendo o equilíbrio e não conseguia se lembrar de determinadas palavras. Em retrospecto, é espantoso que ninguém tenha diagnosticado esses sintomas como um estágio inicial de Alzheimer.

A época mais difícil para mim – e mais ainda para ele, é claro – foi quatro anos depois. Eu estava morando em Washington e ele veio ficar comigo. O que ele tanto havia dominado na vida – as palavras – estava deixando-o. Na última vez em que o vi, em Londres, pouco antes de sua morte, a doença havia avançado até o ponto em que ele não se lembrava mais de mim.

Tomamos um chá, seu ritual favorito. Mas apesar das memórias, dos apelidos e momentos compartilhados que eu trouxe para a conversa, não houve conexão. Lá estava o homem que me apresentou à maior literatura do mundo, à arte e à ópera, e eu sentia que ele estava me ensinando, da forma mais dolorosa, algo muito mais profundo – que mesmo o cérebro mais brilhante não começa a definir quem somos. Que mesmo as realizações mais espantosas são somente uma pequena parte de quem somos.

Foi uma lição cruel. O homem que podia recitar longas passagens de Shakespeare sem vacilar estava então lutando para encontrar uma palavra simples do dia-a-dia perdida nos recessos da sua memória.

"Cheguei a especular", escreveu ele, "a respeito de como seria ser um prisioneiro na realidade, em vez da fantasia, e cheguei à surpreendente e perturbadora conclusão de que, desde que pudesse ler e escrever coisas de que gostasse, e tivesse um companheiro de cela agradável (ou, melhor ainda, uma sentença de confinamento solitário), eu não acharia a punição tão terrível assim". Essas coisas então lhe eram negadas; contudo, havia na sua pessoa uma presença que era profunda e via algo nele, como se seu brilho e suas realizações não mais mascarassem sua essência.

Tenho ouvido outras pessoas contarem de experiências semelhantes. É como se quando a mente se vai, outra coisa brilha, algo que estava bloqueado pela máquina do intelecto. Portanto, assim como as pessoas encontram nova vida na doença física, seu espírito pode encontrar nova vida além da mente.

Encontrar o caminho da graça

Em última análise, para alcançar o destemor e vencer nosso medo da morte, precisamos trazer para nossas vidas cotidianas uma graça além de nossas mentes e emoções. Não existe maneira melhor para fazer isso do que a prática diária.

Quando fico desanimada com tudo o que está acontecendo no mundo, recorro à profunda verdade expressa por Gandhi: "descobri que a vida persiste em meio à destruição. Portanto, deve haver uma lei mais alta que a da destruição. Somente sob essa lei a sociedade ordenada seria inteligível e a vida valeria a pena ser vivida".

Uma forma pela qual me lembro da necessidade de traduzir a verdade espiritual de Gandhi para minha vida diária é manter, numa pequena moldura sobre minha mesa, uma frase que também gosto de dar a meus amigos em seus aniversários: "se você fizer seus 10% 100%, Deus fará os 90% restante e você viverá em graça". Uma vez que reconheçamos que mesmo quando pomos tudo que temos em um projeto ou relacionamento, muitos fatores além do nosso controle determinam o resultado, grande parte do estresse e do medo desaparece. E podemos viver em graça.

E há muitas maneiras para trazer mais paz e ânimo em nossos 10%. Minha mãe apresentou minha irmã e eu à ioga quando eu tinha doze anos. A crença dela em Deus não se resumia à igreja aos domingos. Quando éramos adolescentes, ela nos ensinou a meditar. Não era uma coisa que eu fazia regularmente aos treze anos, mas muitos anos depois compreendi que ela havia plantado uma semente que viria a se tornar uma parte muito importante da minha vida: a noção de um período de silêncio antes que o mundo comece a girar é crucial para alimentar a alma e também para ser eficaz no mundo.

Meditação, ioga, afirmações e orações diárias ajudam a nos conectar com essa realidade mais elevada além de nossas preocupações imediatas. Minha mãe chegou a fazer da tarefa de lavar pratos uma parte da sua prática espiritual. O retorno da espiritualização do dia-a-dia é imediato e enorme. Quando olhamos para nosso mundo de um ponto de vista mais alto, todos os nossos temores são postos em perspectiva e até mesmo nossos maiores problemas se tornam menos intimidadores.

De que são feitos os sonhos

Uma coisa que pode ajudar a trazer a eternidade para nossas vidas é redescobrir o sagrado no ritual mais mundano do nosso dia: dormir. A insônia pode ser apenas a recusa teimosa de nossas mentes hiperativas em se renderem a uma inexistência temporária e à perda de controle por algumas horas.

Há alguns anos, visitei as "câmaras de dormir" em templos egípcios, para as quais os iniciados se retiravam depois de se terem preparado, através de orações e meditação, para receber dormindo orientação e inspiração divinas. Em forte contraste com o hábito moderno de nos drogarmos, esperando "desabar" por algumas horas antes de enfrentar outro dia frenético, os egípcios iam dormir com expectativas. Assim, o sono não era somente um tempo de descanso, mas também de regeneração. Da minha experiência, percebi que, quando me preparo espiritualmente para dormir ouvindo uma fita para meditação ou fazendo uma oração simples, tenho maior probabilidade de me lembrar de meus sonhos e minhas jornadas noturnas.

Os sonhos nos mostram quanta coisa existe além da nossa mente consciente. Eles têm lógica e vocabulário próprios. São como visitas do grande além. Quando nos conectamos com nosso mundo de sonhos, estamos nos ligando a uma fonte muito maior que a mente mais brilhante.

Memento Mori

Os antigos romanos costumavam gravar MM nas bases das estátuas e nos troncos das árvores. As letras significavam *Memento Mori*: lembre-se da morte. Isso não era um sinal de morbidez, mas uma ferramenta mental com a qual vencer o medo do desconhecido, uma forma para chegar a um acordo com a única inevitabilidade da vida, desmistificando-a por mantê-la perto. Lembrar da morte, da sua presença silenciosa, pode nos ajudar a valorizar a vida na sua plenitude.

Robert Kennedy, pai de Rory, foi assassinado seis meses antes dela nascer. Assim, a morte fez parte da sua vida desde o início. "Estamos a um suspiro de não estar aqui", disse-me ela. "Tentei usar a morte do meu pai e muitas mortes na minha família como formas para lembrar como a vida é preciosa e tentar aceitar cada momento dela, em oposição a viver com medo de acontecer uma coisa horrível. Porque uma coisa horrível *pode* acontecer, mas tudo que podemos fazer é sermos gratos pelo tempo que temos aqui e aproveitá-lo ao máximo".

Confiar que existem no mundo mais coisas do que podemos ver e achar uma maneira de nos conectarmos com elas pode nos ajudar a enfrentar nossa mortalidade com destemor e trazer isso para nossa vida diária.

8

Lidere e fale em público sem medo

O poder de cada um

Em 2003, fui candidata ao governo da Califórnia; os candidatos incluíam o governador substituto Cruz Bustamante e Arnold Schwarzenegger, que foi o vencedor. Por mais divertida que tenha sido a experiência, ela também teve seus momentos de atrito. E nenhum foi maior do que o grande debate televisionado, que Arnold apelidou de "SuperBowl dos debates" aludindo à grande final do campeonato de futebol americano (talvez porque tenha sido o único de que ele participou).

Durante o debate, sempre que eu estava emitindo uma opinião – na verdade, sempre que abria a boca – Bustamante, com sua voz de barítono, ficava repetindo "Sim, Arianna. Sim, Arianna". Ocasionalmente, ele olhava para o alto. Era um refrão condescendente e enfadado, como se ele mal conseguisse reunir energias para tolerar uma "típica mulher irritante". Era o equivalente de "querida, tome um relaxante, um medicamento para TPM e você se sentirá melhor amanhã".

Schwarzenegger expressou seu desprazer por ter de debater com uma mulher entusiasmada, sugerindo que eu tomasse mais café descafeinado – um comentário difícil de imaginar ser dirigido a um homem.

De fato, aquele debate me fez compreender o quanto está arraigado em nossa cultura o medo em relação a mulheres assertivas e o quanto desse medo as mulheres inconscientemente assimilaram. Depois do debate, saí do palco e fui imediatamente cercada por dezenas de jovens estudantes que me agradeceram por assumir uma posição e não voltar atrás. Fiquei comovida pela gratidão – mas também chocada. Eu certamente não achava que merecia agradecimentos especiais simplesmente por expor o que pensava. Nem achava que aquelas jovens, em 2003, ainda estivessem em busca de modelos para ajudá-las a ganhar coragem para encontrar sua própria voz.

Mas, mesmo em 2007, é difícil para uma mulher questionar as ortodoxias predominantes e não ser atacada e ridicularizada por isso. Ainda exigem que sejamos, antes de mais nada, doces e adoráveis. Um homem que não segue a linha não só é tolerado, mas até saudado como um bom malandro ou patife, mas uma mulher não-convencional e segura tem maior probabilidade de ser vista como uma destruidora de festas... que precisa tomar mais café descafeinado.

Vamos enfrentar o fato: nossa cultura ainda não se sente à vontade com mulheres poderosas, visíveis e que falam o que pensam. Igualamos poder com masculinidade, domínio – até brutalidade –, todos traços com os quais as mulheres temem ser identificadas, porque sabem que serão chamadas de "controladoras", "neuróticas" e "estridente". Os epítetos atingem nossa feminilidade – como se as noções de poder e feminilidade fossem excludentes. Não é de se admirar que, com frequência, as mulheres tenham medo de ficar em pé, assumir a liderança, falar alto. O resultado? Um relacionamento pouco à vontade entre mulheres, poder e os requisitos necessários para liderar.

Mas para que possamos explorar nossas reservas naturais de liderança, e isso significa nos expressarmos sem pedir desculpas, precisaremos deixar de aceitar esses estereótipos motivados pelo medo. "Destemor", escreveu o pensador La Rochefoucauld, "é uma força comum da mente, que eleva a alma acima dos problemas, desordens e emoções que a perspectiva de grandes perigos costuma produzir".

Não à ideia de liderança de seu pai

Tendemos a pensar em liderança exclusivamente como uma força externa – associada às pessoas que efetivamente cumprem as responsabilidades de seus cargos ou dirigem seu pessoal de forma confiante. Isso é muito útil, mas é somente um tipo de liderança. Há um outro tipo – liderança interna – que não depende do cargo, da posição, de hierarquia ou de qualquer coisa imposta ou concedida. Esse tipo de liderança é gerado por uma força interior que nos compele a tentar e fazer do mundo que nos cerca – seja nossa família, nossa comunidade, toda a nação ou além – um lugar melhor.

"Chega um momento", disse Martin Luther King, em 1968, "em que a pessoa deve assumir uma posição que não é segura, nem política nem popular, mas ela deve fazê-lo porque a consciência lhe diz que é certa". King não esperou que lhe concedessem uma plataforma de liderança. Sua liderança brotou da sua autoridade moral e de sua capacidade para inspirar. Ele era o líder interno fundamental. E alguém duvida que precisamos hoje dessa liderança real, nesta época em que o que passa por liderança significa apenas estar obcecado com o centro político, o elusivo ponto "M", que, de acordo com a sabedoria convencional, é o pré-requisito para alcançar o poder?

Quando definimos liderança somente da maneira mais estreita e externa – pensando nela somente em termos de sua relação com cargos eletivos ou salas de executivos – nós subjugamos as qualidades internas que fizeram de pessoas como o King, Mahatma Gandhi e Madre Teresa líderes tão poderosos. Para que as mulheres sejam destemidas em liderança, elas precisam aceitar essas dádivas internas.

Não há dúvida de que são necessárias algumas qualidades excepcionais para se chegar ao topo. Especialmente quando uma mulher está em ascensão, e recebe acusações de ser "ambiciosa", "carreirista" e "agressiva". Mas o maior obstáculo não é a mídia, nem os colegas do sexo masculino (ou mesmo algumas mulheres). Piores são nossos próprios temores a respeito do poder: o medo de que estejamos nos preparando para um ataque, o medo de alienarmos os outros, o medo de nos tornarmos de fato a caricatura do chefe detestável e demoníaco. Todos esses temores se manifestam no medo de nos expressarmos. É uma censura interior da ambição. O que é pior, porque, agora mais do que nunca, precisamos de mulheres líderes para nos levar para além do mundo de medo em que vivemos. A verdadeira liderança é demasiado rara e valiosa para ser limitada à metade da população.

Os modelos hoje predominantes de liderança são o líder como aproveitador ou o líder como fomentador do medo, criando-se assim um clima de medo, apelando para nossos instintos mais básicos. Depois de 11 de setembro, fomos todos forçados a acrescentar o medo de perder tudo para o terrorismo aos temores de perder nossos empregos, nossa saúde, perder um filho para as drogas e assim por diante.

Mas será que estamos realmente mais seguros por causa de todo esse medo? Será que ganhamos alguma coisa com ele? E mais importante: o que perdemos? Precisamos de um novo modelo de liderança, um que não envolva liderar através do medo, mas, sim, expressando aquilo que Lincoln chamou de "os melhores anjos de nossa natureza".

E as mulheres são idealmente adequadas para suprir imediatamente as qualidades de que precisamos nos líderes – ser forte e decisivo e, ao mesmo tempo, sábio e respeitoso o suficiente para falar a verdade com autoridade moral que inspire e delegue poderes.

Logo depois de 11 de setembro e da invasão do Afeganistão, assisti o filme *Harry Potter e a pedra filosofal* – e de repente um outro "filme" começou a passar na minha mente, simultaneamente. Numa das telas do meu "multiplex" mental estava o rosto de Hermione Granger, parceira destemida, brilhante, apaixonada e dedicada de Harry Potter, na sua batalha contra o mal. Na outra tela estavam os rostos das destemidas mulheres afegãs – membros da Associação Revolucionária das Mulheres Afegãs (RAWA) – que combateram vilões da vida real cuja selvageria seria demasiada até para a fértil imaginação de J.K. Rowling.

Hermione não é sua colega de escola típica. Além de ser uma excelente feiticeira, a melhor aluna de Hogwarts e poderoso modelo feminino, ela também é uma manifestação moderna de um antigo arquétipo incorporado por Atena, a deusa grega da sabedoria e da guerra. Seguindo a liderança de Atena – e agora de Hermione – as mulheres, jovens e velhas, podem aprender a unir força e vulnerabilidade, paixão e disciplina, intelecto e imaginação e introduzir humanidade e misericórdia na ordem masculina. Exatamente o que as muitas mulheres afegãs têm feito contra todas as probabilidades.

As mulheres da RAWA também não são suas mulheres típicas. São mulheres como Soheila Helal, uma professora que desafiou o Talibã – e arriscou sua vida – operando uma escola clandestina para meninas. Ou Kobra Zeithi, uma farmacologista transformada em ativista que foi presa pelo crime de viajar ao Paquistão para buscar materiais educacionais; e Weeda Mansoor e Tahmeena Faryal, que têm falado incansavelmente contra as atrocidades do Talibã.

Como Hermione e a RAWA deixam claro, não podemos mais nos dar ao luxo de buscar liderança exclusivamente entre os representantes eleitos. Precisamos aprender a garimpar o maior e menos explorado recurso de liderança à nossa disposição: nós mesmas.

Medo de falar em público

Antes que nós mulheres possamos liderar, precisamos nos confrontar com um dos nossos piores medos: falar impositivamente ao mundo. É verdade que muitos homens também têm medo de falar alto, mas para as mulheres é diferente. Nada nos torna mais visíveis e, portanto, mais sujeitas às críticas reservadas especificamente para mulheres no poder. Toda vez que falamos alto e impomos nossa voz é como se colássemos um alvo nas nossas costas.

Contudo, é impossível ser um líder se não estamos dispostas a defender publicamente nossas crenças. Esse é um medo que as mulheres precisam aprender a superar. E eu sei, por experiência pessoal, que ele pode ser superado.

Não tenho mais medo de me expressar em público; na verdade, aprendi a gostar disso. Mas nem sempre foi assim. Conquistei esse medo porque meu amor por política e debates foi mais forte do que o medo de críticas e do fracasso. Aquele velho ditado a respeito do amor conquistar o medo acabou sendo completamente verdadeiro no meu caso.

Devo minha transformação à Cambridge Union, a famosa sociedade de debates de Cambridge. Meu maior medo era causado pelo meu forte sotaque grego – um medo não desprezível quando você está tentando se comunicar e persuadir. Eu seria claramente compreendida? Porém, à medida que ouvia atentamente os políticos em disputa em meu primeiro debate, fiquei convencida pela primeira vez – mas não a última – do imenso valor da total incompreensibilidade na vida pública.

Gostaria de dizer que meu primeiro discurso na Union foi uma daquelas ocasiões em que líderes são descobertos e reputações nascem, mas não foi o que aconteceu. Na verdade, o secretário da Union contou-me mais tarde que uma das secretárias, tendo ouvido minha fala, soltou um profundo e audível suspiro de alívio. "Graças a Deus! Pelo menos não terei que datilografar o nome engraçado dessa garota". Ah, irmandade.

Mas eu insisti. O aprendizado havia começado. Todas as noites de segunda-feira eu estava na Union. Eu ficava até o fim e, então, esperava ser chamada para falar. Àquela altura, os únicos estudantes na sala eram aqueles cuja inércia superava o julgamento e aqueles que simplesmente haviam adormecido. Mas eu gostava de observar a magia das mentes das pessoas movidas por palavras. E, à medida que meu desejo de me engajar nos temas do dia se fortaleceu, meu medo de ser criticada por meu nome e meu sotaque engraçados começou a desaparecer.

No segundo semestre do meu primeiro ano, tive minha grande oportunidade. Fui convidada a propor uma moção em um debate importante. Ela era apoiada por George Steiner, um brilhante escritor e professor de inglês, com os oradores convidados C.P. Snow e Lord Mountbatten opondo-se, e o Príncipe Charles, que estudava em Cambridge na mesma época que eu, defendendo uma posição de neutralidade.

De alguma forma, a tensão na sala lotada me deixou com menos medo. Nosso lado venceu o debate e o fato de eu ter uma fala importante e uma vitória no currículo reduziu em muito meus temores. Eu havia conseguido uma vez, sem contratempos. E poderia fazê-lo de novo – e melhor.

Logo minha vida na Union tomou um rumo inesperado. Durante um fim de semana em que eu estava em Londres, Bárbara Scott, uma amiga do segundo ano, colocou meu nome no livro de candidatos à eleição para o Comitê Permanente, que governava a Union. Quando recebi a notícia, pedi ao secretário que retirasse meu nome. Não se tratava de falsa modéstia, mas, sim, de medo real: eu tinha medo de não receber nenhum voto! Mas as cédulas já haviam sido impressas. E eu tive votos suficientes para ser eleita.

E assim começou minha vida política. Enquanto eu ficava sentada, contemplando os resultados da eleição – me acostumando com a ideia de ter sido eleita – a ideia de me tornar presidente da Union começou a se delinear em minha mente. Gostaria de dizer que minha ascensão prosseguiu de forma tranquila e corajosa, mas não foi assim. Na verdade, em meu segundo ano, eu me humilhei tanto em um debate televisado que me convenci de que minha carreira estava terminada. O debate seria entre J.K. Galbraith e William F. Buckley. Fui escolhida para a palestra de abertura pelo lado de Galbraith (contra o livre-mercado, caso você esteja se perguntando). Galbraith falou mal – na verdade, muito mal – e sentou-se ao meu lado. Buckley, irradiando suavidade, calma e auto-confiança, conseguiu rasgá-lo em elegantes pedacinhos.

O professor estava ficando visivelmente agitado. Ele sussurrou no meu ouvido: "levante-se e interrompa-o – diga-lhe que as condições que ele está descrevendo se aplicam somente à bolsa de valores e que todos os outros mercados são imperfeitos para corroborar sua opinião". Bem, talvez. Pode ser. Mas aquilo era um debate, não um seminário. E Bill Buckley era um profissional de debates. Mas o venerável professor estava me dando cotoveladas. Assim, fiquei em pé, Buckley me cedeu a palavra, como dita a tradição na Union, e eu fiz minha crítica. Então ele disse calmamente: "senhora, não sei que mercado você defende".

Você pode pensar que a Union tinha um estranho senso de humor, mas ele fez a casa vir abaixo. Sentei-me com o rosto vermelho e dei um adeus silencioso à ideia de ser novamente eleita. Mas um mês depois eu estava suficientemente recuperada para tentar uma volta, falando – com mais sucesso – ao lado do Bispo Trevor Huddleston e do ex-secretário de defesa Denis Healey, contra a venda de armas à África do Sul. No final do mandato, fui eleita secretária.

O que aprendi foi que ninguém presta tanta atenção quanto nós mesmas às humilhações e derrotas que sofremos. Eu podia ter pensado que minha carreira estava terminada, mas as outras pessoas não estavam tão concentradas naquela noite arrasadora. A maior consequência não pretendida para mim foi passar a ter menos medo de fracassos individuais.

Lição aprendida, dediquei minhas energias à vida da Union. Cada palestra se tornava uma base para novas explorações. Algumas das minhas descobertas eram totalmente inúteis para debate reais, mas muito úteis para minha educação. Na colocação de C.P. Cavafy, meu poeta grego favorito, "Ítaca colocou-o na bela jornada./Sem ela você nunca teria tomado a estrada". Gradualmente, o esqueleto daquilo em que eu acreditava começou a emergir. À medida que me tornava mais apaixonada e séria a respeito de ideias, eu me tornava mais destemida a respeito de expressá-las. Isso incluía perder o medo de mudar de opinião à medida que aprendia mais a respeito de um assunto – e de lidar com as consequências. Minha experiência na Union seria crítica para o resto de minha vida.

Se eu não tivesse superado o medo de falar em público e de ser criticada publicamente, toda a minha carreira, na verdade toda a minha vida, teria sido diferente. Afinal, foi o fato de me tornar presidente da Union que atraiu para mim a atenção de Reg Davis-Poynter, um editor britânico, que me ofereceu um contrato para um livro. Foi uma oferta que aceitei com medo. Ela me colocou no caminho para me tornar escritora e significou que a Escola de Governo Kennedy, onde eu havia me matriculado para depois de Cambridge, tornou-se a estrada não percorrida.

Perder o medo de falar em público

Expressar-se sem medo é um direito de nascimento que devemos cultivar e usar sempre que tenhamos oportunidade. E quanto mais cedo entrarmos nessas águas, melhor.

Donna Bojersky, hoje consultora de política pública, começou sua jornada para dominar a arte de falar em público antes de mim – aos treze anos de idade. Ela descreve seus temores e como foi bom superá-los: "lá estava eu, prestes a me tornar uma *bat mitzvah* [em português, "filha do mandamento", espécie de "debutante" judia]... Já naquela época eu gostava de rituais; assim, gostava mais da cerimônia do que da festa. Eu havia decidido ampliar meu papel no serviço além do que uma criança fazia tradicionalmente. Hoje me arrependo profundamente do que fiz. Centenas de pessoas estavam lá... minha família, colegas de escola, aquele grande arco, as grandes janelas. Eu estava aterrorizada.

"Olhei para minha mãe com pânico nos olhos e as lágrimas começaram a brotar. Eu não podia fazer aquilo. Queria correr. Mas é claro que não podia; assim, respirei fundo e iniciei uma caminhada que parecia ter um quilômetro até as escadas do bimah (altar). Havia um microfone no enorme pódio para onde me dirigi. Subi as escadas e lentamente me virei para olhar a multidão. Tentando firmar meus joelhos e nervos, examinei todos os rostos familiares. Respirei fundo de novo. E comecei a falar. E então uma coisa totalmente inesperada veio sobre mim, como uma onda gigante. Continuei a falar, avaliando a congregação. Então, falei um pouco mais. De repente, click. Uma pequena agitação passou por mim... Isso é realmente divertido... Nós nos conectamos, o público e eu. Isso parece poderoso... Gosto disto!. Lembro-me daquele momento como se fosse ontem. Até hoje, antes de eu falar, essa lembrança em particular surge e estou de novo com meus óculos de aro metálico e meu vestido de lacinhos... e eu sorrio para mim mesma... e começo a falar".

A conquista do destemor em expressar nossas opiniões não é um processo de uma única etapa. Nem será uma jornada tranquila – há buracos pela estrada. Mas posso dizer isso: você nunca irá conquistá-lo sem dar aquele primeiro passo.

Stephanie Kang, aluna da Escola Archer para Garotas, entrou para a equipe de debates para se acostumar a falar em voz alta. "Havia alguma coisa a respeito de falar diante de um público que me aterrorizava", disse ela. "Eu criava constantemente desculpas para evitar fazer palestras e era ambivalente a respeito da pertinência das minhas ideias e da receptividade do público. Eu sabia que aquilo era um absurdo, mas não sabia como superar. Então compreendi que tudo se resume em assumir riscos e se basear no impulso. Como saber se esse medo é legítimo, se nunca tive oportunidade para testá-lo? Entrar para a equipe de debates foi um marco para mim. Durante cada debate eu me lembrava do poder e da libertação de ter de uma voz e exercê-la; e de como não podia permitir que um medo trivial estragasse aquela oportunidade. Essa experiência abriu uma nova janela em minha vida – eu não era uma vítima e, sim, uma conquistadora. Minhas justificativas para o medo eram apenas fachadas e comecei a acreditar em minhas habilidades".

É claro que é fácil avançar quando as coisas vão bem, mas é quando elas vão mal, ou quando estamos questionando o *status quo*, que é muito mais importante seguir em frente.

Foi o que fez Jean Sara Rohe na cerimônia de formatura de 2006, na Nova Escola de Nova York. Ela foi uma de dois estudantes que se distinguiram e foram convidados pelo corpo docente para falar diante dos formandos, antes do Senador John McCain fazer seu discurso de abertura. Mas quando foi sua vez de usar a palavra, corajosamente e com dignidade, ela anunciou que estava jogando fora o texto preparado e iria falar diretamente a McCain, pois estava perturbada pelo apoio dele à guerra no Iraque.

Com o senador e provável candidato à presidência em 2008 sentado a poucos metros, Rohe disse: "o senador não reflete os ideais sobre os quais esta universidade foi fundada", provocando aplausos da multidão. Ela prosseguiu, fazendo um discurso comovente.

Você pode imaginar a coragem que ela precisou ter? Não só de falar a verdade ao poder, mas também fazê-lo de forma tão pessoal e pública?

Mais tarde Jean declarou no site *Huffington Post*: "durante toda a tarde anterior ao meu discurso, eu imaginava se aqueles que me viam sabiam o que eu pretendia. Eu me sentia uma agente infiltrada. Queria ir para casa e passava mal do estômago. Mas acabei falando e todos gostaram... Nunca esperei ter a oportunidade de falar como falei, mas estou feliz por tê-lo feito. Espero que outras pessoas tenham encontrado força em meu ato de protesto e um dia se vejam na minha posição, usando sua própria bravura para falar a verdade".

Libertar a líder interior

O destemor em apresentar as próprias ideias ao mundo é um pré-requisito para se tornar líder. É difícil fazer diferença quando você se furta a expressar quem é e o que defende.

Para Lonnae O'Neal Parker, autora de livros sobre maternidade, trabalho e casamento, essa percepção colocou-a cara a cara com muitos temores: "eu costumava menosprezar a mim mesma. Pensava que era suficiente ter cartas, artigos ou ensaios ocasionais que tinham uma breve repercussão, mas deixavam tempo para que eu corresse para trás da minha cortina, onde podia me esconder em segurança. Então escrevi um ensaio a respeito de raça e identidade que gerou atenção sustentada. Pediram que escrevesse uma continuação, fui convidada a fazer palestras em todo o país e, para meu horror, fui convidada para ir a um prestigioso programa de notícias. A simples ideia me dava dor de estômago. E se eu não conseguisse articular nenhuma palavra? E se falasse errado? E se tivesse enganado todo mundo e todas as coisas inteligentes que viram em mim não existissem? Minha cortina me chamou e eu queria desaparecer, como sempre fizera, até acabar a confusão. Mas não foi isso que fiz.

"Daquela vez, minha fuga pareceu corrupta. Eu havia escrito um ensaio sobre pessoas negras que tiveram sua voz abafada, ao passo que eu tinha uma voz – e me recusava a erguê-la. Eu sabia que iria ofender aqueles que lutaram e vieram antes de mim se não encontrasse uma forma de transcender meu medo. E de falar minha verdade mesmo quando minha voz e meus joelhos tremessem. Entendo profundamente que simplesmente não há mais tempo para o silêncio das mulheres sobre as coisas urgentes de hoje".

A empatia é um requisito essencial da liderança – de várias maneiras. Lembro-me da noite em que foram anunciados os resultados da eleição para vice-presidente da Cambridge Union. Shirley Williams, que na época era líder do Partido Trabalhista na Grã-Bretanha, faria uma palestra na minha escola em Cambridge. Eu havia sido convidada para o jantar posterior à palestra e me sentei ao lado de Williams. Ela sabia da eleição em andamento na Union, e se a eleição envolvesse seu partido, ela não poderia mostrar mais preocupação.

Durante o jantar, alguém finalmente entrou e passou uma folha de papel dizendo que eu havia sido eleita. E Williams, que tinha entendido minha ansiedade durante o jantar, agora compartilhava do meu entusiasmo. Naquela noite compreendi por que ela era uma das políticas mais populares da Grã-Bretanha – em todos os partidos. Sua capacidade de sentir empatia pelas esperanças, pelos temores e pela alegria de outra pessoa – e eu estava sentindo tudo isso naquela noite – foi espantosa. Eu via claramente que parte de ser um líder destemido é a capacidade para reconhecer o medo nos outros e ajudar a reduzi-lo.

A empatia era um atributo poderoso da liderança de Eleanor Roosevelt, que usava o papel de primeira-dama como plataforma da qual falava com ousadia. Ela começou a vida como uma criança tímida e desajeitada, mas quando foi para Casa Branca, em 1933, transformou-se numa corajosa defensora dos pobres, viajando pelo país para testemunhar pessoalmente os efeitos da Grande Depressão e falando em entrevistas coletivas, em palestras e numa coluna diária de jornal.

Depois da Segunda Guerra Mundial e da morte de Franklin Delano Roosevelt, em 1945, o presidente Harry Truman nomeou-a para a primeira

Assembleia Geral das Nações Unidas. Ela foi importante no desenvolvimento da Declaração Universal dos Direitos Humanos, a qual estabeleceu padrões globais não só para direitos civis e políticos, mas também para saúde, habitação e educação. Solicitada a se demitir durante a guerra fria, ela era alvo de ataques do mccarthismo. "Mais uma vez", disse ela, "estamos em um período de incerteza, de perigo, no qual não só sua segurança é ameaçada, mas também a de toda a humanidade. Mais uma vez necessitamos das qualidades que inspiraram o desenvolvimento da democracia. Precisamos de imaginação e integridade, coragem e um coração digno". Suas palavras ressoam hoje tanto quanto quando ela as pronunciou.

Diante do espelho, vencer o passado e ressaltar a líder interior

O individualismo sem medo – da espécie silenciosa que não precisa ser anunciada aos quatro ventos – é outro requisito para a liderança. Quando somos de fato destemidos, não necessitamos de validação externa, apenas de uma oportunidade para nos expressarmos, viver plenamente e servir o mundo. Com muita frequência confundimos falar alto com a posição "alfa" – o ator líder ocupando o palco principal. Mas algumas vezes podemos falar claramente sem poder ou posição. Esse é um modelo alternativo e verdadeiro de liderança, da espécie que depende não de poder externo, mas de força interior.

As noções de posição e hierarquia – e como negociá-las – atormentam os seres humanos desde que eles surgiram no planeta. Não tenho certeza, mas não me surpreenderia se Adão tivesse usado aquele incidente de comer a maçã como arma contra Eva, para reclamar uma posição superior e poder de decisão nas suas novas atividades.

Somos criaturas sociais e procurar determinar nosso lugar na hierarquia social é um instinto humano natural. A questão é: quanto da determinação da nossa própria posição delegamos aos outros? E qual é a conexão entre o que julgamos ser nossa posição e nossa própria felicidade?

A posição há muito é associada com riqueza e aquisição. Está implícita nesse jogo de mostrar àqueles que estão "abaixo" de nós que somos melhores, simplesmente porque temos mais aceitação do que eles, embora aqueles que estão "acima" de nós sejam ainda melhores porque eles, por sua vez, têm mais do que nós. Assim, existe medo naqueles que estão abaixo de nós e medo em nós em relação àqueles que estão acima.

Nesse jogo ninguém vence realmente. Mas a boa notícia é que a participação nele é totalmente opcional. A posição baseada na hierarquia existe somente até o ponto em que decidimos aceitá-la. Minha mãe nunca o fez. Ela optou por assumir o controle da sua posição e definiu seu próprio valor. Com isso ela se libertou das mesquinhas guerras territoriais e da inveja do jogo da posição, do medo a respeito de como "eles" a classificavam e de quais privilégios concederiam a ela. Decidindo seu próprio valor e irradiando a confiança que vem disso, ela estava segura em sua posição independentemente das circunstâncias de sua vida. Livrar-se do medo gerado pelo jogo da posição permitiu que minha mãe se conectasse de forma muito mais profunda com pessoas em todos os níveis da vida.

Ela ignorava hierarquias e mostrava a todos que tinham a sorte de entrar em contato com ela que somos todos iguais. Ela abordava a vida gostando de todos e como esse sentimento de confiança e conexão é contagioso, todos também gostavam dela.

Uma noite, quando eu vivia em Londres, um membro do Parlamento com quem eu estava saindo na época trouxe para jantar o primeiro ministro Edward Heath. Minha mãe estava na cozinha, onde podia ser encontrada a maior parte do tempo, conversando com o encanador, que tinha vindo fazer um conserto de última hora. Quando estava saindo da cozinha, entreouvi minha mãe perguntar ao encanador o que ele achava do primeiro ministro. Não ouvi a resposta, mas alguns minutos depois minha mãe havia organizado uma conversa entre o primeiro ministro e o encanador em torno da mesa da cozinha.

Mais tarde ela pôs em prática suas crenças de que não existe trabalho baixo demais para uma pessoa e que a posição não é determinada por aquilo que a pessoa faz para viver, mas pelas qualidades e pela dignidade que ela traz para o trabalho. Em meados dos anos 1970, ela foi a Los Angeles para uma prolongada visita à minha irmã Agapi e seu então marido. Depois de cerca de um mês, quando ficou claro que ele não gostava de viver com a sogra, minha mãe, não querendo incomodar ninguém, decidiu viver por conta própria.

Mas para isso ela precisava de um emprego. Assim, ela pensou no que sabia fazer e quais eram seus talentos. Ela concluiu que sabia administrar uma casa – cozinhar, limpar e fazer tudo funcionar tranquilamente, no prazo e com o mínimo de atrito. Era o que havia feito a vida inteira e ela era boa nisso. Ela colocou um anúncio no jornal procurando alguém que precisasse de uma gerente doméstica. Surpreendentemente, ela recebeu um telefonema, foi para a entrevista e conseguiu o emprego. Assim ela se viu em Santa Bárbara, cuidando de uma bela família com filhos adolescentes, todos os quais se apaixonaram imediatamente por ela. Além de todos os deveres domésticos, minha mãe dava conselhos a toda a família sobre suas ideias organizacionais, o que ela chamava de "ordem criativa". Com muita frequência os filhos acabavam no quarto de minha mãe, discutindo com ela seus problemas.

Ela havia aceitado o emprego sem nenhum senso de inferioridade e assim nunca ocorreu à família tratá-la como inferior. Ela simplesmente foi lá para trabalhar e ganhar a vida, sem se esquecer de quem era. E, é claro, quando recebeu seu primeiro pagamento, ela tentou dá-lo a Agapi e a mim, porque não precisava de dinheiro, já que tinha casa e comida.

Sua aventura terminou quando eu telefonei e pedi que ela voltasse para Londres. Preciso de você, eu disse, para poder terminar este livro. Minha mãe nunca havia sido capaz de resistir a um pedido de uma de suas filhas. Assim, voou para Londres e passou a gerenciar meu pequeno apartamento, mantendo a cozinha em funcionamento a noite inteira enquanto eu trabalhava furiosamente para cumprir o prazo que me auto-impusera.

O trabalho em Santa Bárbara havia sido mais uma maneira de ensinar às filhas, através de exemplo, como ignorar hierarquias e nunca esperar que autoridade e liderança sejam concedidas por terceiros. Suas soluções aos problemas algumas vezes pareciam simples e óbvias, mas isso por causa do destemor e da confiança com que ela abordava o mundo e se movia através dele.

Assim, enquanto continuamos com nossos esforços para abrir portas e romper preconceitos, há muita coisa que podemos fazer sem permissão de qualquer pessoa ou instituição, simplesmente fazendo conexão com o líder que vemos diante do espelho.

Marie Wilson, uma defensora dos direitos das mulheres há mais de trinta anos, é fundadora do Projeto Casa Branca, uma organização que promove a liderança das mulheres em todas as esferas, inclusive a presidência. Como ela própria admite, não lhe faltaram medo ou resistência por todo o caminho. "Tenho tido medo quase constantemente", contou ela. "Tive medo de me mudar de Nova York para Iowa, onde criei minha família, mas aceitei o cargo de presidente da Ms. Foundation for Women (Fundação para Mulheres) no início dos anos 1980. Fui humilhada por pessoas muito importantes quando defendi microempresas para mulheres de baixa renda (disseram que essa estratégia iria marginalizar as mulheres que deveria ajudar), mas hoje ela é aceita no mundo inteiro.

"É simples olhar para trás e dizer a mim mesma como fui corajosa diante da forte oposição às minhas ideias. É verdade que houve dias e noites em que chorei. É preciso uma certa dose de excesso de confiança para ir em frente, para não se esconder quando você é humilhada em público, para manter sua visão quando todos os outros a consideram uma transgressora, um pouco 'fora-da-lei'. Felizmente, sou um pouco maluca".

Não é necessário se mudar para Nova York ou Washington para liderar. O que todas nós podemos fazer é começar a exercer liderança em nossos círculos mais imediatos: nossa famílias e nossas comunidades. As mudanças não acontecem apenas de cima para baixo, ainda mais porque a liderança está cada vez mais rara no topo.

Destemor a qualquer custo

Um dos aspectos mais difíceis – e potencialmente mais geradores de medo – de se falar em público é irritar amigas que podem discordar de suas opiniões. Algumas podem até se tornar ex-amigas. Você pode imaginar como isso foi verdade para mim quando, em 1995, comecei a criticar publicamente alguns dos meus amigos republicanos em minha coluna, e como piorou depois que deixei o Partido Republicano no fim de 1996. Nunca irei esquecer um jantar em 1996, na casa de Boyden Gray, conselheiro do primeiro presidente Bush, em Washington. A lista de convidados era um "quem é quem conservador", com o casal Rush Limbaugh como convidado de honra. "Por que ela está aqui?" perguntou a sra. Limbaugh ao nosso anfitrião, quando entrei. Veja só, eu havia ousado questionar a compaixão de Limbaugh numa coluna. "O movimento conservador irá ser definido pelo darwinismo social e pela mentalidade pequena de Limbaugh, ou pela generosa mentalidade cívica que foi o centro da fundação da América?", eu havia perguntado. A então mulher de Rush estava irritada por ter sido permitido que eu respirasse o mesmo ar, comesse a mesma comida e bebesse o mesmo vinho que seu santo esposo. Quando fui informada da ira da sra. Limbaugh, decidi simplesmente manter uma distância segura entre nós.

A noite havia apenas começado, e o salão já apresentava problemas: pairava uma onda de comentários e reclamações malcontidas que certamente seria revelada à medida que a noite continuasse. Mantendo um olho no casal Limbaugh e outro nas saídas, tentei me misturar com as pessoas.

Em um canto localizei Dick Armey, então líder da maioria na Câmara dos Representantes, e sua mulher Susan. Susan tinha na época uma loja de roupas na Virgínia que eu visitava ocasionalmente. Ela ajudava minhas filhas, então com cinco e três anos a se vestirem bem, e também a mãe delas. Sua cordialidade e seu humor, associados ao fato dela e eu termos ambas um metro e setenta e cinco e gostarmos do mesmo tipo de saias e de casacos longos, fizeram com que eu realmente gostasse dela.

E lá estava eu, cara a cara com o casal Armey pela primeira vez, desde que escrevera numa coluna que o estilo "artificial, insípido e enganador do líder da maioria da Câmara só está lhe rendendo desprezo". Eu havia encerrado a coluna dizendo que "a conclusão cada vez mais inescapável é que Gingrich e Armey, seu suposto herdeiro, precisam ir juntos". Eu não disse para onde, mas estava claro que não era para a Disneyland.

As repercussões das opiniões que eu tinha expressado duas vezes na mesma semana em minha coluna – bem como pelo rádio e pela TV e em palestras pelo país – estavam circulando pelo salão. "O que aconteceu com Arianna?", perguntavam meus amigos conservadores. Era assustador perceber que minhas amizades estavam sendo seriamente afetadas. Quanto ao que me aconteceu, pode ser resumido por um momento em particular. Esse momento foi em 24 de janeiro de 1993. Eu estava fazendo uma palestra em um Encontro Conservador, em Washington, organizado pela *National Review*. Minha palestra era intitulada "Podem os conservadores ter uma consciência social?". Fui precedida pelo crítico conservador Brent Bozell, que fez um discurso ameaçador cheio de frases de extrema direita. Ele foi aplaudido de pé.

O medo começou a crescer em mim – aquele medo especial que vem quando você suspeita que está prestes a se dirigir a uma audiência hostil. Aproximei-me do pódio preocupada, perguntando-me o que um público que havia aplaudido o conservadorismo cruel do orador anterior faria comigo, que desafiava a todos a se lembrarem daquilo que eu considerava o núcleo do verdadeiro conservadorismo: a advertência bíblica de que seremos julgados por aquilo que fazemos pelos menores entre nós.

"A meta da Sra. Huffington é a redenção do Partido Republicano", escreveu Karen DeWitt num artigo sobre o evento no jornal *New York Times*: "se ela conseguir atingi-la, avareza e egoísmo serão banidos para sempre e serão substituídos por altruísmo, compaixão e o mundo "mais benévolo e gentil" sobre o qual Bush falou, mas não conseguiu produzir". Ela prosseguiu, expressando a opinião de que "é uma noção estranha associar altruísmo e compaixão aos conservadores, se levarmos em conta a convenção Republicana do ano passado".

Mas eu nunca considerei compaixão e preocupação com justiça social província exclusiva dos Democratas e realmente acreditava, na época, que não era demasiado tarde para desafiar o Partido Republicano a ouvir as nobres tradições do seu passado. Aparentemente o público concordou comigo, porque também fui aplaudida de pé. Compreendi naquele dia que o problema não estava com a base partidária republicana, mas sim com os líderes do partido.

Minha conclusão foi que eu havia atingido uma parte dos cérebros e das psiques do público diferente daquela atingida por Bozell – um componente de consciência social sem o qual a responsabilidade individual se reduz a nada senão egoísmo.

Mas os líderes do partido não concordaram comigo e o desafio social que lancei naquela manhã nunca foi assumido. A esperança de que as pessoas iriam arregaçar as mangas e sujar as mãos para resolver problemas sociais no nível local nunca se realizou. Nunca houve voluntários em número suficiente, nem doações, nem parcerias e projetos-pilotos para provar aquilo que os conservadores afirmavam: que poderíamos resolver os males dos EUA sem o "governo grande".

Assim, no centro da minha transformação política foi o reconhecimento de que a tarefa de vencer a pobreza e a injustiça social é monumental demais para ser realizada sem o poder e a escala que somente o governo pode prover. Ao mesmo tempo veio a convicção de que o silêncio não é uma opção válida. E não podemos permitir que amizades nos impeçam de falar alto a respeito daquelas que para nós são verdades fundamentais.

De volta ao salão de Boyden Gray, eu estava sentindo como aquela decisão repercutia no nível pessoal. Dick Armey, sempre político, simplesmente trocou brincadeiras comigo, ignorando o fato de eu ter desejado publicamente que ele perdesse o cargo. Mas Susan, corajosamente expressou o que sentia. "Arianna", disse ela, "como você pôde fazer aquilo? Como pôde falar aquelas coisas a respeito de Dick? Você era nossa amiga". Murmurei algumas frases feitas a respeito de como aquilo não era pessoal, apenas um reflexo de nossas visões políticas diferentes, mas Susan estava ferida e não irritada, o que sempre é mais difícil de lidar.

Felizmente, aquele momento desagradável foi interrompido por nosso anfitrião nos convidando para o jantar. Sentei-me entre o senador Bill Frist e o colunista Rony Snow, hoje secretário de imprensa da Casa Branca. Eu já conversava animadamente com o senador a respeito da escola em Washington que nossos filhos frequentavam, quando percebi que Susan havia se sentado bem na minha frente. Felizmente, os Limbaugh estavam em outra mesa, mas permaneci muito consciente da minha conversa inacabada com Susan. Quando ela se levantou, eu a segui. Ficamos conversando por vinte minutos – eu tentando explicar por que é inútil tentar escrever a respeito de política se você censura a si mesma quando se trata dos seus amigos, e ela insistindo que "a lealdade aos amigos é um princípio mais alto do que a política e que se você não pode dizer nada de simpático...".

Estávamos totalmente envolvidas em nossa conversa, tendo perdido a sobremesa, quando Dick, que apesar das suas falhas como político tem virtudes sociais impecáveis, veio descobrir o que estava acontecendo. Estamos bem, dissemos nós. Depois que ele se foi, nós nos abraçamos. Se não podíamos ser aliadas, ao menos poderíamos estabelecer uma trégua.

A lealdade com os amigos é um princípio importante. Mas falar e escrever sem medo a respeito daquilo que se acredita também é – caso contrário, por que se incomodar para falar ou escrever?

Meus problemas com conhecidos e amigos que ficam ofendidos com minhas visões expressas publicamente tinham deixado de ser novidade. Afinal, é frequente eu criticar novos amigos e novos aliados, pessoas que inevitavelmente encontro em ocasiões sociais, como casamentos. Há alguns anos, eu estava em um casamento em Washington, e um dos padrinhos era o consultor de campanhas Bob Shrum. "Oh, não", pensei quando o vi na festa. Eu havia acabado de escrever uma coluna censurando-o por seu trabalho na fracassada tentativa de Al Checchi de concorrer ao governo da Califórnia – um exemplo particularmente fétido das campanhas imundas e mesquinhas que têm poluído nossa atmosfera política. Os anúncios cruéis que ele publicou tiveram o efeito de transformar Checchi, que começou a campanha parecendo-se com Tony Perkins no início do filme *Psicose*, parecer-se com Perkins no final do filme.

No almoço que se seguiu ao casamento, Shrum, muito elegante – uma casaca pode ter esse efeito – ao contrário do que costumava acontecer no passado, estava com problemas para exibir um sorriso. Ele e eu havíamos nos chocado em muitas ocasiões na *Crossfire*, mas sempre tinha ficado claro que gostávamos um do outro. Eu conhecia sua mulher mesmo antes deles terem se casado e ele tinha sido excepcionalmente gentil me ajudando com a bagagem de mão e minha filha de sete anos em um vôo noturno para Washington (o que mais pode pedir uma mulher?).

Em certo momento do almoço, nossos caminhos se cruzaram. "Se eu quisesse criticá-la", disse ele, "teria ligado e dito por telefone em vez de publicar numa coluna".

Mas o que eu havia escrito não era uma crítica pessoal e, sim, uma denúncia apaixonada de consultores e pesquisadores de opinião que deturpavam o processo político e reduziam tudo ao denominador comum mais baixo possível. Pode não ser bonito, mas é uma péssima ideia calar a boca no plano público por temer irritar alguém que conhecemos.

Depois que John Kerry perdeu a eleição presidencial de 2004, escrevi uma coluna avaliando a culpa e parte dela caiu diretamente no colo de..., sim, Bob Shrum. Naquela ocasião eu também havia feito amizade com seu enteado Michael Palmer, que era companheiro ocasional de corridas e conseguia os melhores CDs da região oeste de Los Angeles. "Você ainda fala comigo?", perguntei a Michael quando nos encontramos numa festa alguns meses depois de eu ter censurado seu padrasto por escrito. "É provável que não tivesse falado logo depois da publicação da sua coluna", respondeu ele, "mas agora falo". Dei um grande suspiro de alívio. Pelo menos meu suprimento de CDs estava assegurado.

As consequências de falar sem medo chegaram ainda mais perto quando Elaine Chão, madrinha da minha filha, casou-se com o Senador Mitch

McConnell, a quem eu havia censurado muitas vezes por ter sido – entre outras coisas – um dos maiores obstáculos à reforma no financiamento de campanhas. Como se não bastasse, George Bush nomeou Elaine secretária do trabalho. E sua nomeação foi confirmada. Assim lá estava ela, fazendo parte do governo que eu continuava a insultar praticamente todos os dias. Ela foi gentil em levar Isabella para conhecer o Departamento do Trabalho quando estivemos em Washington há alguns anos, mas estava claro que Isabella precisava de uma madrinha cujo relacionamento com a afilhada não fosse prejudicado pelas posições políticas da sua mãe. Assim pedi que minha filha escolhesse uma nova madrinha entre minhas amigas.

Tudo está bem quando acaba bem. Afinal, quantas garotas escolhem sua própria madrinha? Isabella acabou escolhendo minha amiga Lynda Resnick. Entre todas as coisas boas do relacionamento delas, Lynda é proprietária do suco POM Wonderful e mantém sua afilhada abastecida de romãs (o prato favorito dela) o ano inteiro.

Qualquer que seja o preço pessoal, devemos nos expressar a respeito do que é importante. O mundo necessita mais do que nunca da liderança de mulheres. Podemos perder amigos no processo, mas não podemos mais nos dar ao luxo de permanecer caladas.

9

Não tenha medo de mudar o mundo

Vença seus temores e faça um mundo de diferença

AGORA é hora de uma pergunta importante: ao conseguir não ser mais atormentado pelo medo, além de mais qualidade de vida, o que é possível fazer com essa coragem recém-conquistada? Minha sugestão: mudar o mundo.

Sim, estamos mirando alto. Mas por que não? A pergunta sobre o que fazer com o destemor não deve ser respondida sem medo?

Mudar a nós mesmas, mudar o mundo

"Se você quisesse endireitar o mundo", perguntou Alexander Solzhenitsyn, que passou anos preso no gulag soviético por tentar mudar o mundo, "por quem começaria: por você mesmo ou pelos outros?"

Antes de morrer, em 1995, Jonas Salk dedicou a maior parte de seu tempo a falar e escrever sobre mudar o mundo começando por mudar a si mesmo. "Se olharmos a evolução como um processo de tentativa e erro, e se formos ligeiramente melhores em corrigir erros do que cometê-los, então chegaremos lá". Quando visitei Salk em sua casa, em La Jolla, na Califórnia, em meados da década de 1980, ele falou de evolução em termos espirituais. "O instinto evolucionário nos obriga a tirar o melhor de nós mesmos e dos outros, a reconhecer nossa interligação com todas as outras pessoas", disse ele. Ele não se referia ao primeiro instinto, à sobrevivência, mas ao quarto, que nos leva a "tirar o melhor".

O homem, criado à imagem de Deus, tem livre arbítrio. Nós o exercemos para escolher nossos companheiros e atormentar nossos inimigos, para forjar nosso aço e lançar nossos foguetes. E podemos aplicar este mesmo arbítrio à nossa evolução. Iremos evoluir queiramos ou não, mas suponha que decidimos buscar todas as oportunidades para evoluir sem medo e sermos os melhores possíveis. O que acontecerá? Até que ponto será mais fácil mudar o mundo?

É claro que, se sua meta é mudar o mundo, o medo não é uma reação descabida, em especial para uma "mulher presunçosa" (isto é, qualquer mulher que expressa uma opinião que não confirme simplesmente as ideias tradicionais e o *status quo*). Ela pode esperar provocar tristeza por extrapolar os papéis que lhe foram prescritos. Mas se a opção é entre ser considerada "presunçosa" por discordar e concordar só por concordar, prefiro discordar. E se você chegou até aqui neste livro, espero que faça o mesmo.

O preço da militância

Não importa o mundo em que você está – negócios, jornalismo, moda, política, igreja ou sua família –, o *status quo* não gosta que sua gaiola seja ameaçada. Especialmente por uma mulher.

Como disse Tom DeLay referindo-se a Hillary Clinton, "não existe nada pior do que uma mulher sabe-tudo". Na verdade, meu problema é exatamente o oposto de Hillary. Ela teme ofender algum grupo de prováveis eleitores se deixar de tentar ser "tudo para todos" e começar realmente a liderar. (E o que adiantou amenizar suas visões? Ela é criticada de qualquer forma por expressar suas visões com veemência, mesmo que não o faça).

Não é preciso ser um político famoso para atrair ataques. Lois Gibbs, dirigente do Centro de Saúde, Desenvolvimento e Justiça, em Washington, DC, era uma dona de casa. Em 1978, ela foi atacada por ter tido a coragem de organizar seus vizinhos em Love Canal, Nova York, para combater um depósito de lixo tóxico que fez com que cinquenta e seis crianças na área nascessem com dentes, dedos, orelhas a mais, além de mentalmente prejudicadas.

Quando o governo recusou-se a conduzir os estudos de segurança necessários, o grupo de Gibbs interveio. "O departamento de saúde do Estado de Nova York", disse Gibbs, "literalmente jogou fora nosso relatório e disse que se tratava de dados inúteis de donas de casa, colhidos por mulheres que tinham interesses pessoais no resultado".

Pelo fato de se importar com sua comunidade e defendê-la, Gibbs recebeu o tratamento reservado para mulheres "presunçosas". "O pessoal do governo me disse coisas como 'bem, sra. Gibbs, se seus filhos estão tão doentes, por que você não está em casa cuidando deles?'. Eles tentaram fazer pouco de mim, ameaçando me desmentir publicamente se eu fizesse algum pronunciamento errado".

Essa reação certamente não é nova. É apenas a continuação da hostilidade enfrentada através dos anos por mulheres que desejam mudar o mundo.

Indiferença era o melhor que se poderia esperar. Quando Elizabeth Cady Stanton apresentou ao Congresso a emenda dando o direito de voto às mulheres, em 1878, os congressistas simplesmente a ignoraram. "O fato particularmente ofensivo", escreveu Stanton, "foi a desatenção estudada e o desprezo do presidente da casa, senador Wadleigh, de New Hampshire, que olhava alternadamente para os manuscritos e os jornais, erguia-se para abrir ou fechar uma porta ou janela, se espreguiçava, bocejava, olhava para o teto, cortava as unhas, apontava seu lápis".

Alice Paul, líder do Partido Nacional das Mulheres, teve de enfrentar muito mais que indiferença. Ela foi internada em um manicômio judiciário por seus protestos em 1917 (os quais incluíam manifestações durante os discursos do presidente Wilson) e alimentada à força quando começou a liderar uma greve de fome.

Ao longo da história, dezenas de milhares de mulheres têm sido julgadas como feiticeiras e enforcadas ou queimadas vivas. "Houve momentos", escreveu Arthur Miller a respeito dos julgamentos de feiticeiras em Salem, "em que uma consciência individual era tudo que poderia impedir que o mundo se desfizesse". Carol Karlsen, da Universidade de Michigan, estudou centenas de casos de mulheres acusadas de feitiçaria e de um mundo em desagregação na Nova Inglaterra colonial. Ela escreve que as causas para uma acusação de feitiçaria incluíam ser "agressiva e abrasiva... mal-humorada, brigona e rancorosa", comportamentos considerados perversos e ameaçadores da hierarquia do poder e da vontade de Deus.

De acordo com Karlsen, essas mulheres, em sua maioria, tinham mais de quarenta anos e tendiam a ser solteiras, viúvas ou divorciadas (isto é, sem homem). Em alguns casos, elas tinham tido sexo antes do casamento, em outros, eram ousadas o suficiente para pedir em tribunais heranças ou outros direitos, e, às vezes, eram simplesmente bodes expiatórios depois de uma colheita ruim ou da morte de uma pessoa querida pela comunidade. "A imagem de bruxa", escreve ela, "está em agudo contraste com os valores mais prezados nessas sociedades".

Mulheres "presunçosas" não mais são declaradas bruxas, são apenas rotuladas de "histéricas" ou consideradas irracionais ou exageradamente emotivas quando fazem exigências que a sociedade acha perturbadoras, desafiadoras ou ameaçadoras.

No século XX, o tratamento para mulheres "histéricas" incluía terapia de choques elétricos e medicação. Muita medicação. O tratamento por choques foi usado para apagar as memórias e até mesmo as personalidades dos pacientes, usualmente mulheres. H.C. Tien, um terapeuta da época, usava terapia de choques em mulheres na década de 1970 "para 'reprogramá-las' como esposas mais adequadas, com ajuda dos maridos delas". Não era exatamente uma transformação conjugal robótica, mas chegava bem perto.

Caso não queira usar alta tecnologia para reprogramar sua "presunção", você pode obter os mesmos resultados com uma pílula. Em 1963, o tranquilizantes foram introduzidas e prescritos para milhões de donas de casa.

Em louvor às mulheres "histéricas"

Em cada período da história, houve um preço a pagar por ser agente de mudanças. Mas também há um preço a pagar por viver timidamente – e muito menos vantagens. Sufocar nossos verdadeiros "eus" é uma importante causa de medo, ansiedade e depressão. As mulheres passam por depressão clínica de duas a três vezes mais que os homens. A solução da nossa cultura é receitar-lhes mais drogas. Bilhões de dólares são gastos em propaganda tentando convencer os consumidores de que o sofrimento pessoal pode ser erradicado através de drogas – uma pílula para cada mal.

Existem, é claro, desequilíbrios químicos que exigem medicação, mas alguma coisa está claramente desequilibrada quando nos automedicamos e nos silenciamos em vez de mudar aquilo que não está funcionando em nossas vidas – e em nosso mundo.

As recompensas do risco

O impulso para seguir a voz, não do medo, mas do nosso quarto instinto e lutar para tornar o mundo um lugar melhor está tão presente em nosso DNA quanto o impulso para melhorar nossas próprias vidas. É por isso que o destemor – recusar-se a ser controlada por temores, culpas e até mesmo por elogios e bajulação – é mais que indispensável; é nosso desejo como seres humanos.

As recompensas da coragem, de ser uma pioneira, são proporcionais aos riscos que assumimos. Se não fosse por Alice Paul e o movimento sufragista das mulheres, pode ser que as mulheres ainda não tivessem o direito de votar. Se não fosse por Lois Gibbs, centenas de famílias poderiam não ter sido transferidas para comunidades mais saudáveis nos anos 1970 e milhares de outras não contariam agora com o centro que ela fundou para a limpeza das suas comunidades. Existem poucas coisas tão gratificantes quanto estar na presença de mulheres que arriscam tudo para mudar o mundo.

Naomi Wolf, autora de *O mito da beleza*, descobriu essa verdade quando começou a viajar pelos países em desenvolvimento. Ela conheceu mulheres que haviam sobrevivido a estupros, escravidão, mutilações e outras atrocidades e haviam se oposto à opressão e à injustiça. "Para as jovens na nossa cultura", contou ela, "a aprovação é como oxigênio – temos medo de perecer sem ela. Mas quando voltei a Nova York depois de conhecer aquelas mulheres surpreendentes, a escala de meus próprios temores pareceu muito pequena. Nossos medos baseados no ego – de sermos ridicularizadas, criticadas ou menosprezadas – de repente pareceram muito triviais. Se não se trata de ser mandada a um gulag ou torturada – hoje sinto isso, em apoio a outras mulheres que enfrentam um terror real todos os dias, eu tenho simplesmente que ir em frente".

Todos os anos, desde 1997, tenho conhecido mulheres destemidas na área de jornalismo. Elas arriscaram suas vidas para relatar a verdade a respeito de corrupção e opressão em alguns dos lugares mais perigosos do mundo. Ninguém lhes delegou poder, nem as elegeu nem esperava que agissem como líderes. Mas cada uma delas, à sua própria maneira, destacou-se do grupo, levada a buscar a verdade e contá-la. E à sua própria maneira, cada uma delas mudou nosso mundo.

Uma dessas mulheres destemidas, a quem entreguei o prêmio em Los Angeles, em 1997, é Bina Bektiaki, da Indonésia. Discreta e reticente, ela era provavelmente a última pessoa que o governo indonésio esperaria que resistisse quando fechou o jornal *Tempo*, onde ela trabalhava, em 1994. Mas ela se recusou a trabalhar para o jornal do governo que substituiu o *Tempo* e continuou a protestar ajudando a criar a Aliança de Jornalistas Independentes. Depois que o governo proibiu os membros da aliança de escrever, Bektiaki começou a usar um pseudônimo.

Mas ela considera a "censura interior" muito mais deprimente do que a censura imposta pelo governo indonésio. "Eles conseguiram transformar a censura em autocensura", lamentou ela em seu discurso de agradecimento. "Não precisamos mais de telefonemas de alerta, e o exército não precisa ameaçar ninguém. Nós nos tornamos 'bons' jornalistas, censurando a nós mesmos, e isso é o que nosso governo chama de uma 'imprensa livre e responsável'. Hoje, a autocensura é nosso maior pesadelo".

Enquanto ouvia Bektiaki falar, eu estava pensando na autocensura aqui no país mais livre do mundo. O que temos incorporado? O que temos aceitado como normal? Quais são os limites da nossa curiosidade? Que coisas não mais ouvimos ou vemos, por miopia ou fraqueza? Quais são nossos limites auto-impostos? Quais seriam as consequências se simplesmente decidíssemos ultrapassá-los?

Maribel Gutiérrez foi outra mulher destemida homenageada naquele dia. Em sua casa no estado de Guerrero, México, o mais pobre dos trinta e dois estados do país, é preciso ter muita coragem para questionar a negligência do governo federal em relação às comunidades que lutam com dificuldades. E é isso que ela tem feito como uma das fundadoras do *El Sur*, um jornal que expôs corajosamente a corrupção e violações dos direitos humanos. Por isso seu nome foi incluído numa lista negra disseminada por agentes do governo.

A última homenageada foi Corinne Dufka, uma americana que deixou a segurança do seu país natal para documentar a angústia nos campos de morte do mundo. Ela nasceu em Connecticut e foi criada no norte de Utah, mas sua vida de jornalista da Reuters, em El Salvador, Ruanda, Burundi, Somália, Etiópia, Sudão e na Bósnia não poderia ser mais distante do mundo em que foi criada. Ela quer "registrar em imagens a tristeza e o sofrimento humano gerados pela guerra, bem como a força humana das pessoas que tentam simplesmente viver suas vidas e amar suas famílias dentro do contexto devastador da guerra". Quatro de seus amigos na Reuters foram mortos – não em combate, mas pelas imagens que trouxeram para a luz.

Numa cultura obcecada com temores triviais, vaidades insignificantes e ansiedades sociais, ser exposto às vidas de mulheres como Bina, Maribel e Corinne é estimulante, um chamado ao despertar que nos tira de nosso torpor. Nós nos chocamos com outra realidade e nos lembramos da ampla gama de possibilidades à nossa disposição. Essa é a razão pela qual todos nós saímos daquele auditório um pouco diferentes – um pouco menos amedrontados – do que quando lá entramos.

O quadro muito maior

Mesmo que as apostas não envolvam opor-se à opressão e à corrupção e melhorar as vidas de milhões de pessoas, é muito mais fácil ser destemida na jornada da sua vida quando o destino que você escolheu inclui alguma coisa maior do que você.

Em um estudo sobre as raízes do altruísmo, o dr. Ervin Staub analisou homens e mulheres que haviam arriscado suas vidas durante a Segunda Guerra Mundial para proteger judeus que se escondiam dos nazistas. O que transforma um espectador comum em defensor destemido? "A bondade, como o mal, muitas vezes começa com pequenos passos", diz Staub. "Os heróis evoluem: eles não nascem. Com muita frequência, os salvadores assumiram somente um pequeno compromisso inicial – esconder alguém por um ou dois dias –, mas uma vez dado esse passo, eles começaram a se ver de forma diferente, como alguém que ajuda. Aquilo que começa como mera disposição torna-se intenso envolvimento".

De fato os heróis evoluem, mas o heroísmo não poderia florescer se a semente do destemor, da bondade, de transcender nosso interesse próprio não tivesse sido plantada há muito tempo. Esse potencial para ir além das preocupações diárias e das nossas ambições pessoais é nossa herança comum, uma semente à espera de ser regada com algumas gotas de coragem e compaixão.

Como disse Anna Quindlen no seu discurso na Comissão Feminina para Crianças e Mulheres Refugiadas: "mesmo com grandes ganhos precisamos estar sempre cautelosas a respeito das nossas perdas em potencial e, se nos tornarmos o tipo de pessoas que acreditam, como um grupo, que a posição do nosso nome na página ou no cabeçalho é o fator mais importante a nosso respeito, teremos, como diz a Bíblia, conquistado o mundo inteiro e perdido nossas almas imortais... O importante nunca foi o cargo mais alto, mas, sim, irmandade, solidariedade, liberdade e, acima de tudo, paz. O importante era o mundo inteiro".

Oprah Winfrey chegou à mesma conclusão: "a verdadeira beleza de se ter riquezas materiais é que você não precisa se preocupar com o pagamento de contas e dispõe de mais energia para se preocupar a respeito das coisas importantes. Como acelerar minha humanidade? Como usar quem sou na Terra para um propósito maior do que eu mesma?".

Esse é o tema comum nas vidas de mulheres destemidas: o medo é muito mais fácil de superar quando o foco de nossas vidas vai além de nós mesmas para uma causa pela qual nos apaixonamos.

Dorothy Day, uma jornalista, mãe solteira e convertida ao catolicismo, nascida no fim do século XIX, iniciou o *Catholic worker* – um jornal dedicado a dar voz às pessoas empobrecidas pela Depressão – na sua mesa de cozinha. A mensagem de serviço e caridade do jornal levou à fundação da primeira "casa de hospitalidade", que oferecia alimento, roupas e abrigo a qualquer um que necessitasse. (Hoje há mais de 185 em operação). Os artigos escandalosos e o ativismo social de Day fluíam diretamente do seu espírito destemido e de sua fé religiosa. E ela estava disposta a pagar o preço por sua dedicação, o qual às vezes incluía afastar seus próprios camaradas e até mesmo prisões recorrentes. Mas depois de sua morte, sua incansável devoção à justiça social conduziu a um movimento por sua canonização. "Não me chamem de santa", zombou ela. "Não quero ser dispensada tão facilmente".

Rory Kennedy, que admite que às vezes tem medo de coisas comuns, como escadas rolantes e elevadores, também descobriu que, quanto mais amplo o foco de sua vida, mais seus temores se dissolviam. Assim mesmo nas situações mais ansiosas, ela se sentia encorajada: "fiz um filme a respeito da crise global da aids e no processo fui a clínicas onde as pessoas estão morrendo. Tanta morte e tanto sofrimento sempre são difíceis de confrontar, mas realmente procuro não evitá-los, e isso coloca meus medos em perspectiva. Por exemplo, para mim, é difícil falar em público, mas me forço a fazê-lo porque estou falando de pessoas cujas vozes raramente são ouvidas e sinto que tenho a oportunidade de lhes dar uma plataforma. Assim, quaisquer que sejam meus temores e reservas, posso deixá-los de lado porque há alguma coisa mais importante. Muitas vezes, quando tenho compromissos para falar, pouco antes de subir ao pódio, penso em Leck, que morreu de aids. Penso nela e me lembro por que faço o que faço e isso me ajuda a pôr de lado todas as perguntas que estão em minha cabeça e falar diretamente do coração".

Satisfação através do destemor e vice-versa

Existe uma correlação não só entre ajudar os outros e destemor, mas, como mostraram os cientistas, entre qualquer espécie de comportamento caritativo e saúde melhor, imunidade melhor e maior capacidade para enfrentar doenças e deficiências. Curar a nós mesmos, nos tornarmos íntegros ajudando os outros, não é uma prédica mal planejada. Como observou o psiquiatra Karl Menniger, "o amor cura pessoas. Tanto aquelas que o dão quanto as que o recebem". As pessoas que tornam a doação uma parte importante de suas vidas descobrem que essa é, na verdade, a mais alta forma de egoísmo.

Susan Kaiser Greenland foi bem-sucedida em sua agitada carreira de vinte anos em direito e feliz em seu casamento com o escritor Seth Greenland, com dois filhos. Mas faltava alguma coisa. "Meus filhos estavam sempre em busca de estímulo", contou ela. "Eles não estavam experimentando algo que já existia em ritmo mais lento na minha infância. Decidi tentar adaptar para eles as práticas de concentração e meditação que haviam me ajudado. Comecei a ensiná-las ao meu filho mais novo. Ele usava a respiração para desacelerar quando estava superexcitado e se acalmar quando estava irritado. Alguma coisa parecia estar funcionando e achei que poderia divulgá-la ao mundo".

Susan começou aos poucos, trabalhando como voluntária algumas horas por semana numa creche. Em 2001, ela e Seth fundaram a instituição sem fins lucrativos InnerKids, através da qual tem dado centenas de aulas em cenários públicos e privados, da pré-escola até o primeiro grau. Quando vi a carência que existia para isso", diz ela, "compreendi que meus dias de advogada em tempo integral estavam terminados e fechei meu escritório".

Bonnie Paul é facilitadora de um seminário patrocinado pela Universidade de Santa Mônica sobre clemência entre mulheres condenadas à prisão. Ela atingiu um segmento esquecido e muitas vezes desprezado da população e, no processo, conseguiu superar seus temores do desconhecido, de falar em público e das próprias pessoas que desejava ajudar.

"A prisão feminina de Valley State", contou ela, "é de segurança de média a máxima e nosso primeiro seminário foi para mulheres condenadas de dez anos até à prisão perpétua. Aceitei completamente, em conceito, a ideia de que todas as pessoas merecem amor e respeito. Mas nunca tive coragem para me colocar numa situação em que o ideal seria testado. E estava aterrorizada. Nas semanas de preparação anteriores ao primeiro seminário, eu acordava me lembrando de sonhos cheios de imagens terríveis: ser vítima de uma emboscada na prisão, tumultos e violência. Ouvir do nosso contato com o pessoal da prisão histórias sobre repetidas ameaças de atentados a bomba não ajudou muito. Some-se a esses temores meu grande medo de falar em público. Eu ficava tão mal que minha garganta fechava e minha voz saía como um grasnido. Quando chegou o primeiro dia, meu nível de medo era quase paralisante. 'Por favor Deus, me ajude!' eu repetia mentalmente cada vez que tinha de falar. Finalmente, decidi contar sobre meu medo às presidiárias. Foi um risco, mas o poder do medo sobre mim se reduziu drasticamente tão logo eu o reconheci. E falar do meu medo também ajudou as presas a se conectarem comigo".

Bonnie acabou de concluir seu quinto seminário. Várias mulheres participaram dele, de quatro a cinco vezes, servindo de inspiração para suas colegas, ensinando o que aprenderam a mulheres que estão se preparando para retornar à sociedade. Mas o que surpreendeu Bonnie foi a mudança nela mesma: menos medo e maior força interior em consequência das mudanças que ela ajudou a provocar em outras pessoas. Como contou o Reverendo

Henry Delaney, que esteve reformando casas interditadas em Savannah, Geórgia, "quero que as pessoas se envolvam. É como pôr um atiçador no fogo. Depois de algum tempo, também ele pega fogo".

O jogo da política

Se você pretende mudar o mundo através da política, é muito importante que tenha algumas das qualidades de destemor tão necessárias nessa época em que os políticos são muitas vezes paralisados pelo medo de ofender algum grupo de prováveis eleitores.

A recém-eleita chanceler alemã Ângela Merkel está demonstrando esse destemor. Primeira mulher (e primeira alemã oriental) a ocupar o posto, ela assumiu uma posição muito cedo quando, ainda adolescente, recusou-se a trabalhar para a polícia secreta como espiã. Doutora em física, ela foi escolhida pelo chanceler anterior, Helmut Kohl, como ministra para as mulheres e os jovens. Superando outros em seu partido dominado por homens, ela hoje administra o equilíbrio ao liderar um governo de "grande coalizão". A mulher que Kohl apelidou de "a menina" fez a seguinte declaração a uma revista feminina alemã, durante sua campanha: "nunca antes em minha vida política fui levada tão a sério como mulher como nos últimos meses".

Nos Estados Unidos, a deputada estadual da Califórnia Karen Bass era assistente de um médico no maior centro de emergência para traumas do país, onde viu o preço que drogas e pobreza estavam custando à sua comunidade. Isso levou-a a fundar uma organização, para cuidar da violência, de serviços de saúde e outras preocupações locais. Para Karen, concorrer à eleição foi não só o próximo passo para servir à sua comunidade, mas também uma forma de diversificar o governo local. "Concorri contra quatro homens", disse ela, "o que foi um grande desafio. E havia muitos anos que uma afro-americana não ocupava um lugar na assembleia estadual".

É claro que ser eleita não é a única maneira de se envolver em política. Ação jurídica é outra. Lynn Schenk era uma de quatro mulheres na sua classe na escola de direito, numa época em que alguns juizes não reconheciam advogadas e muitas firmas de advocacia não as contratavam. A carreira que ela criou como procuradora no estado da Califórnia e em governos federais poderia não ser possível se ela e outras mulheres não tivessem se unido para criar novas oportunidades e questionar leis preconceituosas em relação às mulheres.

E elas foram para os tribunais e o legislativo. "Mudamos as leis de imóveis comunitários, as leis de crédito, mudamos todas as leis discriminatórias que encontramos nos livros".

Quando o destemor de que necessitamos no mundo da política é exemplificado por mulheres, é provável que ele seja recebido com hostilidade, considerado "fora de controle" ou simplesmente deixado de lado. Quando Ségolène Royal anunciou que poderia concorrer à presidência da França, um ex-primeiro ministro (e rival político) perguntou: "e quem vai cuidar das crianças?". E um senador ironizou: "a corrida presidencial não é um concurso de beleza".

Senti essa atitude na pele quando concorri ao governo da Califórnia. Mas lutando uma luta justa, seja concorrendo a um cargo eletivo falando, escrevendo ou organizando, sempre causa mais satisfação, mais alegria e é mais eficaz do que observar a batalha do lado de fora. Você pode não vencer a competição, mas isso não quer dizer que você não venceu.

Ser destemida a respeito de mudar o mundo

Muito bem, melhor para elas, você pode dizer isso. Mas a pergunta é: o que eu posso fazer? A resposta: mais do que você pode imaginar.

Como escreveu William James, "a maior revolução da nossa geração é a descoberta de que os seres humanos, pela mudança das atitudes internas de suas mentes, podem mudar os aspectos externos de suas vidas". Em outras palavras, o primeiro passo para mudar o mundo é mudar nossa visão do mundo e do nosso lugar nele. Afinal, aprendemos, em nossas próprias vidas e nas vidas de figuras públicas, que o caráter não é estático.

Construímos nossa força moral exercitando-a. Tornamo-nos virtuosos pela prática da virtude, responsáveis pela prática da responsabilidade, generosos pela prática da generosidade e compassivos pela prática da compaixão. Assim, no momento em que nós começamos a mudar, o mundo começa a mudar conosco porque estamos todos interligados.

Uma epidemia de destemor

Meu otimismo a respeito do nosso poder para criar mudanças sociais provém das possibilidades embutidas no conceito de "massa crítica": quando uma mudança se estabelece em poucos indivíduos, pode atingir rapidamente a massa crítica e se espalhar para muitos. Para um físico, massa crítica é a quantidade de material radioativo que deve estar presente para que uma reação nuclear se torne auto-sustentável. Na vida diária, massa crítica são ideias, comportamento, mensagens e produtos, que muitas vezes se disseminam através da população como "ataques de doenças infecciosas".

Um único doente pode iniciar uma epidemia de gripe. Um pequeno número de pessoas que não pagam passagens no metrô pode alimentar uma onda de criminalidade nesse meio de transporte, ou um punhado de clientes satisfeitos pode encher as mesas de um novo restaurante. Essas são epidemias sociais e, no momento em que começam, – quando atingem suas respectivas massas críticas – é o *tipping point* (ou seja, o ponto em que o acúmulo de pequenas mudanças causa uma grande mudança).

Atingir a massa crítica é tão importante na última tendência de moda quanto em grandes mudanças políticas, culturais e sociais. Qualquer novo modo de ser e de fazer coisas se manifesta pouco antes de se disseminar para muitos. Os cientistas sociais mostraram que o comportamento de uma pessoa frequentemente depende do número de outras pessoas se comportando da mesma maneira. Quer se trate de uma eleição, um protesto ou um movimento para levantar fundos para um abrigo para sem-teto, esse padrão pode se tornar auto-sustentado e até acelerar uma vez ultrapassado um determinado limiar de energia e envolvimento.

Wendy Kopp, que iniciou a organização Ensinar os EUA, acreditava que pela colocação de uma massa crítica dos melhores graduados em universidades durante dois anos como professores remunerados em comunidades desassistidas, rurais e urbanas, seria possível, nas suas palavras, "formar um movimento para eliminar a desigualdade educacional. A curto prazo, os membros do corpo docente têm impacto como professores nas vidas das crianças em crescimento. A longo prazo, profundamente influenciados por sua experiência, eles se transformam numa força de liderança que trabalha pela excelência e pela igualdade educacionais".

Desde o início Kopp recusou-se a pensar pequeno, convocando quinhentos recrutas. "Não penso que a associação existiria hoje se não tivéssemos começado naquela escala", diz ele. "Era crítico criar uma aura de importância e urgência nacionais".

E ela levantou fundos de forma destemida: pediu dinheiro a altos executivos e um deles fez uma contribuição. Mas, em 1990, durante a agitada primeira sessão de treinamento de verão, todos os seus temores vieram à superfície: "retirei-me para minha concha. Cheguei ao ponto de temer ir à cafeteria. E durante o primeiro ano, todas as noites eu me perguntava: 'será que o plano inteiro irá fracassar?'".

O que a manteve em frente, na ocasião e agora, foi sua paixão "para igualar o jogo para os estudantes das comunidades desassistidas". Kopp acredita que, independentemente dos participantes permanecerem como professores profissionais ou entrarem em outras carreiras, a experiência da Ensinar os EUA irá fortalecer seu compromisso em ajudar jovens sub-assistidos. Quando a massa crítica é atingida e a mudança conquista aceitação e passa a ser auto-sustentável, aqueles que a iniciaram não serão mais considerados excêntricos ou presunçosos. Serão homenageados como pioneiros. O reconhecimento da maioria foi concedido a Wendy Kopp, quando ela foi convidada pelo presidente a sentar-se ao lado de Laura Bush nas galerias durante a fala presidencial sobre o Estado da União, em 2002. O importante do destemor é seguir o chamado da sua alma, seja lá para onde possa levar, e provocar uma centelha que incentive outras pessoas a fazer o mesmo. É o que Dorothy Day chama de "uma revolução do coração".

Conecte-se com sua comunidade

Começamos a mudar o mundo quando reacendemos nosso senso de comunidade. O apelo à comunidade é um apelo para fazer parte de algo maior que nós. E nos conectando com outras pessoas, nós nos reconectamos com nossa parte destemida.

Como fui criada em Atenas, tive inculcado em mim o senso de comunidade. A Idade de Ouro da Grécia me foi ensinada como História Antiga, como minhas filhas aprenderam na escola, mas como minhas raízes pessoais e minha fonte de identidade. Eu me conhecia como parte daquela comunidade eterna. E na terra da minha infância não havia divisão entre comunidade e espiritualidade, história e eventos correntes, nem mesmo entre questões públicas e privadas.

O apelo à comunidade não é um protesto vazio de irmandade universal. É um apelo para fazermos nossas as dores dos outros e entrarmos em contato com nosso "eu" destemido através da doação. Não se trata de uma abstração fria de dar à humanidade em geral, e a nenhum ser humano em particular. Ela é concreta, íntima, tangível. E quando o espírito humano é despertado, não existe problema difícil demais para ser resolvido.

Fazer do serviço um assunto de família

Nunca é tarde demais para se envolver em serviços voluntários. E nunca é cedo demais para fazer com que nossas filhas e filhos os incluam em suas vidas. Isabel Kaplan tem apenas dezesseis anos, mas já fundou uma organização dedicada a ajudar garotas jovens em países em desenvolvimento a ter acesso à educação. "Enfrentei muitos obstáculos, sendo o dinheiro o maior", diz ela. "Mas continuamos a superá-los um a um. Se eu tivesse cedido ao medo do fracasso, desistido quando alguma coisa não funcionou como eu tinha planejado, nunca teria tido a oportunidade de sentir a alegria que senti quando imprimi o primeiro catálogo oficial".

Quando o trabalho voluntário se torna um negócio de família, mães sobrecarregadas conseguem servir às suas comunidades e, ao mesmo tempo, passar tempo de qualidade com seus filhos. É a polivalência em seu auge! Na década de 1990, o Dia Nacional do Voluntariado Familiar era um esforço para unir organizações ligadas às raízes, centros corporativos de voluntários e empresas da lista de 100 maiores da revista *Fortune* com uma única meta: fazer com que os filhos se unissem a seus pais, avós, tios e irmãos para fazer diferença em suas comunidades.

A data não é um ato superficial de *noblesse oblige*, uma foto ensaiada para a parada anual anterior ao Dia de Ação de Graças. Ela é uma resposta ao penetrante narcisismo da nossa cultura louca por consumo, assim como os esforços permanentes do voluntariado familiar. Crianças criadas para que sintam que suas vidas têm um propósito maior além delas mesmas têm maior probabilidade de manter em perspectiva seus próprios problemas e menor de cair nas drogas e, no extremo, atirar em seus colegas de classe.

Os EUA estão infestados de desconexões – negros desconectados dos brancos, ricos dos pobres e, talvez mais problemático, pais desconectados de seus filhos. Uma das melhores maneiras para eliminar essas divisões é ensinar desde cedo às crianças a importância de tornar a prestação de serviços uma parte integral de suas vidas. Isso as ajuda a ir além do medo de não serem populares para o valor de serem úteis.

Trabalhei com pessoas que tentam fazer do voluntariado familiar uma parte essencial da cultura americana. A meta – e a esperança – era que as famílias se reunissem para decidir o que iriam fazer nos fins de semana – ir ao shopping? Ver um filme? Ir à praia? – o voluntariado estaria entre as opções regulares.

Para minhas filhas, o voluntariado tem sido uma profunda experiência educacional; elas absorveram lições que poderiam ter rejeitado facilmente se eu apenas as pregasse. Lembro-me da primeira vez em que as levei a um centro para crianças com risco de vida em Anacostia, dirigido por Hannah Hawkins, uma mulher notável e destemida. Na época eram setenta e cinco crianças e vivíamos em Washington. Minhas filhas ajudaram a preparar a mesa para o jantar e brincaram com as crianças do centro. Uma das meninas fazia cinco anos e Isabella havia acabado de comemorar seu quinto aniversário. Quando a menininha estava soprando a vela do bolo que também era seu presente de aniversário, pude ver os olhos de Isabella se enchendo de lágrimas. Sem que ninguém lhe dissesse, ela fez uma comparação entre sua festa de aniversário, com todos os presentes, bolas e o bolo especial, e aquela comemoração modesta da qual ela agora participava. Quando voltamos para casa, ela reuniu seus presentes e disse que queria dá-los às meninas da instituição.

Acredite em mim, sei que vencer o egoísmo e desenvolver a capacidade de dar e a generosidade é trabalho para toda a vida. Mas expor nossas filhas desde cedo ao sofrimento no mundo e a todas as oportunidades que elas têm para fazer algo a respeito é uma das grandes dádivas que podemos lhes oferecer – uma dádiva que irá ajudá-las a transcender muitos dos temores que fazem parte do crescimento em nossa cultura narcisista. E plantando essas sementes desde cedo, iremos ajudá-las a ter como objetivo mudar o mundo, fazendo disso um item de suas listas de compromissos de vida, a serem assumidos à medida que crescem e se tornam mulheres destemidas.

10

Vivendo a vida sem medo

QUANDO SABEMOS quem somos, podemos superar nossos temores e nossas inseguranças. Superamos nossos egos menores, que sofrem os ataques da nossa realidade condicionada, e passamos para a verdade incondicional de nossos egos maiores. As respostas às perguntas sobre o que dizer, o que fazer, quem deixar entrar e quem manter fora passam a ser uma questão clara e simples, basta ouvir nossos corações. Aquela voz interior nos ajuda a nos alinharmos com nosso propósito, porque cada um de nós tem um propósito, mesmo que o consideremos insignificante. A voz está lá. Apenas precisamos ouvi-la. Quando conseguimos fazer isso significa que estamos vivendo com destemor.

MULHERES CORAJOSAS SEMPRE VENCEM
foi impresso em São Paulo/SP, pela Cromosete, para a Larousse do Brasil, em setembro de 2010.